La Vieille dame de l'île

Violaine Dompierre

La Vieille dame de l'île

Publibook

Retrouvez notre catalogue sur le site des Éditions Publibook :

http://www.publibook.com

Éditions Publibook
14, rue des Volontaires
75015 PARIS – France
Tél. : +33 (0)1 53 69 65 55

IDDN.FR.010.0112512.000.R.P.2008.030.40000

Cet ouvrage a fait l'objet d'une première publication aux Éditions Publibook en 2009

Remerciements

À Maryannick Braud-Giraudet pour ses souvenirs de Belle-Île, à Évangeline Bamdé et à tous les habitants de Belle-Île-en-Mer qui ont su sauvegarder l'âme d'un si bel endroit et enfin, à Raphaël que j'aime toujours autant et qui m'a inspiré ces prochaines pages.

Un merci tout spécial à Gérard-Marc Braud pour ses conseils.

Chapitre 1

7 h 30. Elle avançait à pas feutrés et rapprochés dans la rue et au-dessus d'elle, les mouettes tournoyaient pour saluer le jour naissant. Il allait faire une chaleur torride, ça se sentait, elle le savait. Et pourtant, la vieille dame de l'île portait, une fois encore, son pantalon gris, son col roulé de la même couleur et son débardeur beige. Elle ne souffrait pas de la chaleur. Aucune trace de sueur. Elle tenait son sac de paille serré contre elle et se demandait ce qui constituerait son principal repas de la journée. Les effluves des saucissons lui montaient au nez, tout comme d'ailleurs celles du pain frais que l'on sortait des fours. Les mêmes odeurs qu'elle reniflait ponctuellement depuis quatre-vingt-douze ans aujourd'hui. Le mercure atteignait déjà les vingt-deux degrés Celsius malgré cette heure matinale et Armel devait se hâter de faire ses courses avant que la foule du Bangor, un des traversiers qui faisaient la navette entre Quiberon et Le Palais, ne débarque sur le port.

— Bonjour Armel, lui envoya Pol derrière son étal de fromage.

Elle le salua d'un large sourire.

— Mon petit Pol, comment sera le temps aujourd'hui ?

Le jeune homme dans la trentaine sortit de derrière son comptoir et regarda le ciel quelques secondes en fronçant ses épais sourcils blonds.

— Mmhhh…, hésita-t-il. Un temps bien breton, mais à l'influence belliloise.

— C'est ce que je pensais, opina la vieille dame.

Traduisez : il fera gris et pluvieux en principe, mais on n'en sait rien parce que les vents dans l'île peuvent tout faire basculer. Pas étonnant qu'au petit écran, les gens de la météo se trompent si souvent sur la température qu'il fera à Belle-Île. Armel n'éprouvait d'ailleurs pas plus de respect que de sympathie pour ces météorologues à la noix. Elle les trouvait totalement inutiles. Il valait mieux, selon elle, aller chez la cartomancienne. Comment prévoir en Bretagne ? Pol, lui, savait. Il ne se trompait jamais. Pol, c'était son préféré. Né dans l'île, il faisait partie de ces familles qui comprennent l'importance des racines et qui n'ont pas envie de partir pour s'enrichir sur le continent. Il menait une chaude lutte quotidienne aux supermarchés de ce monde, que les insulaires fréquentaient de plus en plus assidûment.

— Ce sont des traîtres ! lançait Armel chaque fois qu'on lui rappelait que ces jeunes familles de consommateurs appartenaient au monde moderne, qu'ils bénéficiaient du côté pratique des grandes surfaces et qu'ils n'allaient pas s'en priver.

Ses regimbements avaient autant d'impact que lorsqu'elle brandissait une pancarte devant la porte de ces établissements pour manifester contre l'envahissement des gros au détriment des petits. Et pourtant, même elle n'avait pas le choix de s'y approvisionner en denrées non périssables puisque les marchés n'offraient pas ce genre de produits. Elle payait alors le petit Bastian pour faire la tâche à sa place. Sur sa bicyclette, il partait en mission et, secrètement, remplissait son panier d'articles qui allaient permettre à Armel de concocter les meilleurs repas de l'île. Jamais il ne fallait qu'on sache qu'elle encourageait le supermarché. Jamais ! Et pourtant, tout le monde le savait. Mais personne ne lui disait. À quoi bon s'entêter contre une vieille dame de quatre-vingt-douze ans, convaincue, têtue et bretonne. Une fidèle cette Armel. On l'aimait bien. Surtout Pol.

— Qu'est-ce qu'on vous donne aujourd'hui ? demanda le fromager avec le sourire.
— Je te prendrai un bon morceau d'Abbaye de la Joie, un Emmental, un petit Fourme et un chèvre de votre cru.
— De la visite, Armel ?
— Toujours, répondit-elle.

Pol rit de bon cœur et coupa ses fromages.

— Sûrement de la grande visite venue du large, ajouta la vieille dame.

Pol sourit et lui remit son paquet.

— Je vous en souhaite une bien belle.
— À toi aussi, cher Pol, répondit-elle en faisant montre de son plus beau sourire.

Armel n'avait plus de dents en avant. Pour tout dire, elle n'avait jamais été chez le dentiste puisqu'il n'y en avait à l'époque qu'un sur l'île et qu'elle le trouvait bête et suffisant.

« D'accord, je n'ai pas fait d'école comme lui. D'accord, je ne suis jamais allée sur le continent, moi, mais je ne suis pas idiote pour autant et je n'ai pas envie qu'on me traite comme une petite fille. »

Elle refusait de porter un dentier.

« Ça va me distraire et m'empêcher de bien goûter les aliments. »

Et impossible de la convaincre du contraire. Elle était comme ça, Armel. Avec ses lèvres que sa bouche aspirait chaque fois qu'elle parlait, elle avait l'air très vieille. Mais quand on discutait avec elle, on se rendait vite compte de sa vivacité d'esprit. Du coup, on la voyait beaucoup plus jeune, malgré son traditionnel et éternel chignon gris.

Elle trottinait presque dans la rue pavée à destination du prochain étal embourbé en ce beau samedi matin. Elle salua Briac, le marchand de saucissons qui lui faisait toujours goûter une de ses découvertes. Il y en avait au bison, aux châtaignes, aux cèpes, au génépi, au marc de raisin, à l'ail bien sûr, et l'immense verre de vin blanc décoratif qu'il avait installé sur sa table donnait encore plus envie aux clients de faire provision de cette gourmande boustifaille. Les concurrents ne tenaient pas la route. Ça sentait si bon et de si loin… Chaque matin, c'était le même manège.

— Allez ma petite madame Legruec, un morceau ?
— Arrête tes bouffonneries et appelle-moi Armel, comme tout le monde. Legruec, ça me vieillit.
— Je serai jamais capable.
— Têtu, va !

Et le bel homme aux cheveux bruns, mi-longs, arborant une barbe de plusieurs jours, lui présenta un couteau sur lequel s'offrait une généreuse tranche de saucisson. Qu'importe s'il n'était que 7 h 30. Il n'y a pas d'heure pour faire plaisir à son palais.

— Et je ne suis pas petite ! répondit-elle la bouche pleine, du haut de son mètre soixante, ce qui ne manqua pas de faire rire le marchand.

— Prends garde Briac, tu as des concurrents maintenant à l'autre bout du marché. Si tu m'embêtes trop, je pourrais aller les encourager.

— Vous ne me feriez pas ça, madame Leg… Armel. Impossible !

— T'as bien raison, polisson. Allez, donne-moi un saucisson à la bière et trois andouillettes, s'il te plaît.

Il s'exécuta avec plaisir.

— Et le docteur, il est allé chez vous finalement hier ? Qu'est-ce qu'il vous a dit ?

— De me calmer sur le saucisson ! Je fais plein de cholestérol… mais il faut bien mourir de quelque chose, non ?

Le marchand de saucissons éclata de rire.

— C'est pas ce qu'il vous a dit, tout de même ?

— Tu le sais bien, Briac, que je concocte mes propres prescriptions. C'est le meilleur remède. Quand le moral va, tout va. Et pour moi, le moral passe par la fourchette.

— À la bonne vôtre ! lança-t-il gaiement en lui remettant son paquet. Régalez-vous, alors.

— Je n'y ai jamais manqué et ce n'est pas aujourd'hui que ça commencera.

Elle le salua en plongeant son saucisson et ses andouillettes dans son sac de paille, et avança vers la marchande de poisson, en prenant bien garde de bifurquer pour ne pas rencontrer la vendeuse de fruits. Cette Charleza, elle ne l'aimait pas. Elle lui avait un jour fourgué une pêche gâtée et ça, elle ne le supportait pas ! Quand elle demandait aux commerçants de choisir pour elle, ce n'était pas pour accepter qu'on lui passe de la vieille camelote !

« Non, mais elle me prend pour qui ? avait-elle pensé. Croit-elle que je suis assez sénile pour ne pas m'apercevoir que sa pêche est encore plus vieille que mon visage ? Plus jamais elle ne me reverra, plus jamais ! »

Elle regrettait bien son petit Blez qui, à 83 ans, venait de prendre sa retraite. Le hic, c'est qu'ici sur l'île, elle avait peu de choix et si ce n'était pas les fruits du marché qu'elle choisissait pour s'approvisionner, donc ceux de Charleza, il ne restait plus que ceux de Super U et de Casino. Mais la vieille était rusée et avait fait copain-copain avec les fermiers pour qu'ils lui fournissent fruits et légumes frais, gratos en plus ! Cependant, exit les pêches et autres fruits exotiques ! Armel n'en mangerait plus. Elle en avait fait son deuil. Elle préférait s'en passer plutôt que de piler sur son orgueil, malgré l'évidente campagne de séduction que Charleza lui menait depuis son erreur fatale. C'est qu'elle était bonne cliente, cette Armel !

Pour l'instant, donc, c'était au tour des marchands de poisson de recevoir sa visite. Il y en avait deux et Armel alternait selon ses goûts, les choix qui lui étaient offerts, les prix et les arrivages. Chose certaine, les poissons étaient toujours frais du matin et ceux qui se levaient assez tôt pouvaient voir les pêcheurs accoster au port. Ce matin, c'est Enor, la poissonnière, qui l'attira et surtout ses superbes filets de maquereau qui la suppliaient de les prendre.

— Donnez-m'en six, s'il vous plaît.

— Six ? fit la marchande, étonnée. Vous recevez, aujourd'hui ?

Armel tiqua. Elle aimait bien Enor, mais la trouvait curieuse. Elle regrettait de ne pas avoir été chez Gilles, juste à côté qui, d'accord, avait l'air plus froid, mais au moins ne posait jamais de questions. À part sa femme et ses poissons, tout lui était égal de toute façon. N'empêche qu'il fallait maintenant qu'elle réponde à Enor, qui choisissait pour elle les plus beaux filets. Elle allait lui faire un prix, comme toujours, et ça, ce n'était pas négligeable. Quand même pratique d'être une vieille... En plus, elle était loin d'être la doyenne de l'île. Était-ce l'air du large, la beauté qu'on retrouvait sur chaque côte ou tout simplement le stress beaucoup moins élevé que sur le continent qui faisait qu'on y vivait vieux ? Armel l'ignorait. Toujours est-il que les insulaires tardaient à quitter ce monde. Il est vrai que le paradis était un peu ici à Belle-Île-en-Mer. À quoi bon aller ailleurs...

— C'est la saison touristique qui commence aujourd'hui, vous le savez bien.
— Hé oui ! Comment l'oublier ?... Heureusement qu'ils ne viennent pas pour le poisson ! commenta Enor, qui aimait bien faire des sous, mais détestait se presser pour servir les clients. Ça l'empêchait de papoter.
— Mais vous savez qu'ils vont revenir pour les miens, mes poissons, dit Armel.
— Ça c'est certain, sourit la marchande en lui remettant son paquet.
— Ça fait quinze euros vingt.

Armel la regardait en attendant mieux.

— 14 ?

La vieille dame ne bougeait pas, les bras collés sur son sac de paille.

— 13. C'est mon dernier chiffre.

— Là tu parles ! fit la dame en sortant deux billets de cinq euros, puis une pièce de deux de son porte-monnaie au fond de son sac de paille.

— On avait dit 13, non ?

— Non. J'ai entendu 12, moi, s'entêta la vieille dame.

— Armel…

Enor abdiqua en faisant un clin d'œil à la cliente suivante qui se demandait bien qui était cette redoutable négociatrice. Tout le monde ne connaissait pas Armel, mais Armel connaissait tout le monde. C'est ce qui était magique. D'ailleurs, tout était un peu magique sur cette île. La sirène du Bangor retentit. Armel sursauta et regarda sa montre.

— Dieu du ciel ! Il faut que j'y aille.

Elle attrapa son paquet à peine scellé, salua Enor et partit d'un pas pressé vers une journée qui s'annonçait riche en émotions.

Chapitre 2

Les touristes débarquaient du Bangor et en un instant à peine, le port était envahi d'une marée humaine qui allait se répéter comme ça environ toutes les heures et demie jusqu'en octobre. Armel détestait octobre, mais heureusement, en ce 16 juillet, il allait en passer des touristes avant qu'elle ne se retrouve plongée seule dans ses souvenirs ! La rue de L'Acadie était bondée de voitures qui attendaient une mère, un frère, un fils ou une nièce. Les voyageurs avançaient dans le chaos général, chargés de valises et prêts à vivre leurs plus belles vacances. Au magasin de location de voitures aussi, c'était le désordre. Le propriétaire avait eu beau embaucher encore plus d'employés cette année, il n'arriverait pas à diminuer l'attente. Étaient-ils de plus en plus nombreux à venir ici chaque été ? Armel croyait que oui. « Forcément, pensait-elle en sirotant son petit noir bien serré sur la terrasse du Café du port, comme ils sont de plus en plus nombreux à quitter Belle-Île pour Quiberon, Vannes, Nantes ou même Paris, ils doivent être aussi nombreux à avoir le mal du pays et à vouloir y revenir chaque été pour s'y ressourcer. »

Elle qui n'avait jamais mis le pied en dehors de l'île ne pouvait pas les comprendre. Elle ne ressentait pas le besoin d'aller voir ailleurs. Quand on la questionnait, elle s'expliquait : « En amour, on dit que celui qui court ailleurs n'est pas heureux. C'est la même chose pour moi. Si je suis heureuse au pays, pourquoi je courrais ailleurs ? » Même si ses interlocuteurs trouvaient ses arguments limités, ils souriaient et ne tentaient pas de la convaincre du contraire. Après tout, Belle-Île avait bien été baptisée ainsi pour les bonnes raisons. Elle était magnifique, majestueuse, magique. Elle était somptueuse.

Gobrian avait embauché une nouvelle serveuse pour la vague touristique qui s'abattait sur l'île, mais Armel la regardait lui servir son croissant au beurre et n'était pas certaine de l'aimer. La jeune femme portait une courte jupe moulante, tout comme son t-shirt rose qui laissait voir ses formes généreuses. Armel n'appréciait pas cette vulgarité. Il y avait ses gestes aussi. Trop saccadés. Elle courait déjà à 8h et tout ça n'était pas bon pour l'île. « Ces gens du continent nous amènent le stress », se persuadait-elle.

— Voulez-vous vous asseoir avec moi ? lui demanda-t-elle alors poliment, cherchant à en savoir plus sur elle. Elle n'aimait pas se faire tromper par ses premières impressions.
— Pardon ? fit la serveuse en déposant sur la table les confitures et la demi-baguette qui complétaient le petit-déjeuner de sa cliente.
— Asseyez-vous, vous pouvez bien prendre le temps !

La jeune femme, qui devait avoir environ vingt-cinq ans, regarda sa terrasse remplie et envoya un regard interrogateur à Armel en lui répondant presque avec mépris, comme si la femme face à elle était une demeurée :

— Il me semble que c'est évident ! J'ai pas vraiment le temps ! C'est plein à craquer.

Armel la tira par le bras, la forçant à s'asseoir près d'elle. La serveuse demeura saisie. En chuchotant dans le creux de son oreille, la vieille dame déclara :

— Si vous les dorlotez trop ces clients, ils s'habitueront et vous en demanderont encore plus demain et après-demain et ainsi de suite. Résultat : vous allez souffrir d'épuisement, comme tout le monde par chez vous.

— Mais je dois faire mon travail ! protesta la jeune femme.

— Votre travail, c'est de satisfaire votre clientèle. Je suis ici votre plus vieille et plus fidèle cliente, vous devez me satisfaire. Allez, parlez-moi.

La serveuse était sans voix. Mais qui était donc cette vieille folle, édentée, trop chaudement habillée, qui lui ordonnait de la distraire et qui se contredisait ?

— Armel, s'il te plaît, laisse ma serveuse travailler, dit Gobrian en se plantant derrière elles.

Il tapa sur l'épaule de Caroline.

— Allez, va… et considère ça comme un bizutage.

Caroline se leva rapidement, toujours aussi interloquée, en regardant la vieille. Tout ce qu'elle souhaitait, c'est que cette cliente excentrique ne se pointe pas ici tous les matins.

— Tu ne changeras donc jamais, fit Gobrian en posant ses mains sur la table.

— Maintenant, elles sont beaucoup trop jeunes, trop belles et trop… trop…

— Trop sexy ? prononça le tenancier, sans hésiter.

— C'est ça, fit la vieille dame, gênée.

— Mais arrête Armel, dit le sexagénaire. On n'est plus dans les années vingt. Les gens ne viennent plus pour les croissants maintenant. Ce sont les filles qui font vendre.

- Pourtant, tu les vends cher tes croissants !

Elle tira la facture qui reposait à l'envers sur une soucoupe noire.

— Huit euros pour un petit-déjeuner complet, ça non plus, ce n'est plus les années vingt ! Franchement Gobrian, ton père n'aurait pas été fier de toi.

— Ben justement, il est mort mon père et c'est moi qui prends les décisions maintenant... justifia-t-il, légèrement vexé.

Toutefois, il se ressaisit. Il connaissait bien sa cliente. Il se redressa et posa sa main sur celle d'Armel.

— Allez, pour la peine, je te l'offre ce p'tit-déj.

— Je l'espère bien, marmonna Armel, convaincue qu'il ne l'avait pas entendue... Et t'as vu, t'es rendu comme eux ? Tu coupes les mots toi aussi. P'tit-déj, p'tit-déj. C'est pas un vrai mot ça ! C'est pas bon. C'est contagieux, fit-elle en hochant la tête.

Elle serra son sac à main sur elle. Il sourit en retournant à sa besogne. Et dire qu'elle avait été sa baby-sitter, dans un temps reculé ! Elle le revoyait comme si c'était hier, sur son cheval à bascule, mâchouillant allégrement un quignon avec autant d'appétit qu'il brassait aujourd'hui les affaires, comme s'il savait à l'époque qu'il allait faire de la pâtisserie son principal gagne-pain à l'âge adulte. En plus de tenir le Café du port, il était le propriétaire de la Boulangerie de l'île, juste sur la rue d'à côté. Un véritable homme d'affaires ce Gobrian, et bien de son temps. Il vieillissait avec les jeunes qui le nourrissaient. Qui l'aurait cru en regardant ce môme joufflu offrir le moindre sou qu'il dégotait à quiconque se trouvait sur son chemin ? Armel fouilla dans sa mémoire pour se souvenir d'une fois où Gobrian, tout fier d'avoir reçu son premier centime pour avoir aidé au déchargement des poissons de l'Amiral sur le port, s'était empressé de le donner à sa mère pour qu'elle puisse s'offrir son premier bijou. Et il en avait été ainsi pour toutes les autres paies qu'il avait reçues jusqu'à sa majorité. Ensuite, sa mère les avait refusées. Il était temps qu'il pense à lui. Il avait alors mis chaque centime de côté pour acquérir son propre commerce. C'était son rêve. Ce fut d'abord la pâtisserie de son père, trop vieux et trop malade pour l'entretenir, puis ce café qu'il chérissait comme ses propres enfants : deux garçons tristement ingrats qui ne l'aidaient pas d'un iota. Armel soupira. Pourquoi ce qu'on donne ne nous revient-il pas de droit ? Gobrian était incapable de leur dire non et ils le méprisaient, comme c'est souvent le cas de jeunes malappris arrivés à l'adolescence. Heureusement, il ne se laissait pas avoir par ses clients qu'il voyait venir de loin. C'était une question de survie, sans quoi, il aurait fait faillite bien avant. La vieille dame fit le tour de la terrasse pleine de monde. Ce n'était pas pour demain ; les affaires roulaient plutôt bien. « Bravo Gobrian ! Tu le mérites, va. Pour toutes ces années où tu as été si généreux. »

Avec tout ça, elle avait manqué une partie du débarquement et les touristes étaient en train de se disperser. Elle grogna et reprit son travail en scrutant ce qui restait de l'arrivage humain du jour. Qui allait-elle soudoyer ces prochains jours ? Ce petit couple avec son gros berger anglais ? Elle ne l'espérait pas ! Cette famille de six Allemands avec trois fois plus de bagages que de place dans leur auto ? Ils se débattaient pour que ça rentre, mais Armel en était convaincue : « Ça ne rentrera pas. » Ou encore ce groupe d'amis qui semblaient vouloir partir à la conquête de l'île et de ses trésors avec leur short à la dernière mode et leurs baskets qui couraient sûrement plus vite que leur ombre ?

Le café qu'elle buvait lui donnait des palpitations, mais elle appréciait. Ça lui rappelait qu'elle était en vie et pas du tout prête à mourir.

Au bout du quai, une femme dans la trentaine semblait se débattre avec un jeune garçon d'environ six ans, qui ne voulait visiblement pas obéir. Avec son grand doigt sec, elle était penchée sur lui et même à cette heure matinale semblait déjà épuisée.

— Là, Théo, tu restes avec moi. C'est dangereux ici. Il y a de l'eau partout, beaucoup de voitures, c'est pas le moment de courir dans tous les sens.
— Fatigue-toi pas, tu le sais bien qu'il t'écoute pas, commenta son mari en chargeant le taxi.
— C'est certain que si tu me dis ça, il risque pas de m'écouter !

La maman était frustrée et Armel, en moins de temps qu'il n'en fallut pour le dire, était à côté du petit et lui tendait une sucette. Il n'hésita pas à tendre la main en retour.

— Désolée, intervint sèchement sa mère, on doit refuser. Il fait une sorte d'allergie au sucre. Ça le rend un peu turbulent. Il court partout et est incontrôlable.

Devant ce refus, le petit se mit à hurler, inconsolable.

— Moins contrôlable que d'habitude, elle veut dire… conclut le papa, l'air visiblement désillusionné en fermant le coffre de la voiture.

Le garçon avait les cheveux blonds, presque blancs, un tantinet hirsutes, le regard vif comme l'éclair et quelques taches de rousseur qui s'accrochaient à ses joues sans ordre, ni agencement. Armel s'attristait en constatant les dégâts de cette dynamique familiale, mais elle n'avait pas le temps de s'attendrir.

— Où allez-vous ? demanda-t-elle à la dame.
— À l'Hôtel du Palais.
— Ah...
— Pourquoi ? demanda la mère inquiète, en tentant en même temps de calmer son gamin. Elle le prit dans ses bras et l'y emprisonna alors qu'il se débattait en hurlant.

Armel fronça les sourcils et haussa le ton pour se faire comprendre.

— Dommage que vous ne soyez pas au Petit trésor. L'ambiance y est tellement plus propice... surtout pour vous.

Le père ne releva pas le « surtout pour vous » et pria froidement sa famille de monter dans le taxi.

— C'est ça, dommage. Au revoir madame.
— En tout cas, si vous changez d'idée, il y aura toujours le PETIT TRÉSOR, insista Armel.
— C'est ça.

Il entra à son tour, claqua la porte et le taxi démarra. La vieille dame opina, déçue. Tout ce qu'elle souhaitait, c'est que ces vacances leur fassent le plus grand bien à tous. Ils en avaient drôlement besoin.

Chapitre 3

Elle faisait infuser son thé tout en préparant sa pâte à galette. « On ne sait jamais », pensait-elle, même si la pêche n'avait pas été bonne. Elle venait tout juste de ranger ses poissons et ses fromages dans son minuscule réfrigérateur, mais les légumes, les œufs et le saucisson reposaient sur la table en attendant leur tour. Il faisait sombre dans ce logement puisque seules deux petites fenêtres laissaient entrer la lumière vers 20h30, tout juste pour se préparer au coucher de soleil. Armel devait éclairer, avec ses chandelles, ses étagères où habitaient des personnages de la mer en porcelaine. Il y avait un pirate avec une jambe de bois, l'œil caché par un bandeau, un pêcheur barbu avec sa casquette et son ensemble bleu marine, une étoile de mer presque plus vraie que nature, une bouteille, une vraie bouteille de vin dans laquelle était emprisonnée ce qui semblait être une lettre, un voilier miniature travaillé avec tant de détails que tous les enfants qui y regardaient de plus près pouvaient rêver de le gouverner. S'y reposaient aussi une vieille boussole, une montre dont le verre était brisé, mais dont on pouvait tout de même entendre le cliquetis, et des coquillages, d'innombrables coquillages si minuscules qu'on aurait dit qu'ils avaient été trouvés sur une plage de Lilliputiens. Enfin, plusieurs photos en noir et blanc de gens et de lieux accompagnaient la vieille dame dans son quotidien. Ces personnages figés pour l'éternité regardaient le visiteur, immobiles, mais impressionnants. Ces trois étagères, ainsi que le contenu d'une malle en plein cœur du salon, constituaient ses petits trésors à elle et si elle devait un jour quitter ce monde, c'étaient les seules choses qu'elle regretterait.

Armel cuisinait au gaz en s'éclairant à la bougie. Elle détestait l'électricité, même si elle devait en faire usage pour le frigo et pour se chauffer l'hiver. Pas de télé, seulement une radio qui tournait avec des piles, question qu'elle se tienne au courant. Pour le reste, la vieille dame fonctionnait comme avant : elle lavait son linge à la main, le séchait sur des séchoirs étalés dans son salon qui faisait également office de chambre à coucher, de salle de séjour et de bibliothèque. Son lit se transformait en divan le jour, mais comme elle n'arrivait plus à le rabattre toute seule, elle demandait à ses invités, lorsqu'elle en avait, de le faire pour elle. En des jours comme aujourd'hui, son lit était fait et rabattu grâce à l'aide du petit Bastian.

Qu'est-ce qui allait garnir sa galette aujourd'hui ? Le fromage de chèvre de Pol avec de la salade et des noix ? De la ratatouille et de la crème fraîche ? Des andouilles avec des pommes de terre et un œuf ? Ou simplement du jambon et du fromage ? Tout dépendait... et le jour qui avançait allait le lui révéler. N'empêche, invités ou pas, elle ne se gênerait pas pour préparer ce délicieux kouign amann qui faisait sa fierté et qui répandait une délicieuse odeur sur tout l'étage. Elle savait user de ses plus forts atouts en tout temps. Elle savait comment séduire : par le ventre. Séduire un enfant avec des bonbons, une femme avec une pâtisserie ou l'odeur d'une soupe qui fait autant de bien au corps qu'à l'âme, un homme par celle d'un mijoté réconfortant, d'un ragoût apaisant, d'une friture légère et affriolante. Armel avait des doigts de fées et le nez fin. Dotée d'un instinct imparable, elle était de loin la meilleure cuisinière de l'île. Combien de fois lui avait-on proposé d'ouvrir son propre restaurant... « Jamais ! », s'écriait-elle à tout coup. « Jamais je ne serai esclave de mes plats. Ce sont eux qui tournent autour de ma cuillère, qui se fendent sous mon couteau, qui se font pétrir par mon rouleau ou piquer par ma fourchette. Pas question de me sentir obligée de cuisiner si j'en ai pas envie ! » « Mais

Armel, vous en avez toujours envie. Pas un jour ne passe sans qu'on sente des odeurs alléchantes sortir de votre fenêtre ! » « Peut-être bien, mais c'est que je l'ai décidé. Si on me l'impose, je le sais, le charme se rompra » La conversation s'éteignait sans possibilité de négociations. Armel ne négociait pas. Avec personne. Jamais. Elle allait donc se préparer ce kouign amann, cette exquise spécialité bretonne faite de bon beurre salé (comme toute pâtisserie bretonne qui se respecte), de sucre, de levure et de farine de froment. On venait de loin jadis pour lui réclamer ce délice qu'elle confectionnait toujours avec autant d'amour. Et elle l'offrait généreusement en n'exigeant en retour qu'un grand merci et un beau sourire.

Aujourd'hui encore, son appartement exigu était envahi d'odeurs toutes plus appétissantes les unes que les autres, aussi était-ce l'heure de l'opération de charme. C'était inévitable. Armel abandonna donc sa cuillère sur la cuisinière pour entrouvrir la porte, question de titiller les narines des gens de l'étage. Il y en avait si peu cette année que ça l'inquiétait. Il faut dire que ce n'était que la première matinée du premier jour des vacances. Et pourtant, elle se disait que ce n'était pas normal : « Avant, ça pullulait déjà en juin… » Elle se dirigea vers sa fenêtre pour regarder les voyageurs monter dans les hôtels avoisinants. Il y avait bien des touristes, mais pas ici, pas chez elle. Armel se demanda pourquoi. Mais pas longtemps. Elle connaissait la réponse. La seule raison, c'était que le propriétaire de son hôtel à elle ne voulait pas se vendre ; il refusait toute publicité : « Pas besoin » se défendait-il. Mais était-il à ce point sot qu'il ignorait que la plupart des réservations aujourd'hui se faisaient à partir du continent et même dans le monde entier grâce à Internet, sans avoir besoin de parler à qui que ce soit ? Pour lui, pas question du Web ou de toute autre forme de communication bien de notre temps. Un peu comme Armel, il préférait rester dans la bulle du temps et offrir la paix et le confort à ses hôtes plutôt que la modernité. Mais lui, il faisait des affaires ! Et il allait bientôt devoir s'avouer vaincu : son entreprise ne fonctionnait plus.

La vieille dame soupira, ferma le rideau et traversa son salon-chambre-salle de séjour pour rejoindre sa cuisine, sa préférée. Elle aimait le parfum qui l'accompagnait chaque fois qu'elle y passait. C'était comme un petit miracle qu'elle créait de ses mains. Ce midi donc, des galettes, des crêpes, un kouign amann, ce soir du poisson aux tomates et fines herbes et demain, sûrement de l'agneau en sauce. Il y en avait de l'excellent sur l'île et elle en mangeait trop peu.

Armel touillait sa pâte à crêpe avec une telle grâce qu'on aurait dit qu'elle faisait une prière à chaque demi-cercle. Elle venait d'y ajouter sa touche secrète et la regardait avec tendresse. Elle souleva sa spatule en bois pour en évaluer la texture : était-elle assez liquide ? Trop épaisse ? D'une belle couleur ? Trop granuleuse ? Elle rectifia le tir en rajoutant un peu d'eau et une pincée de sel. Elle se considérait comme heureuse d'avoir une passion. Ils étaient si nombreux les gens qui se demandaient à quoi servait leur vie, à chercher en vain ce qui allumerait la satanée flamme dont tous les créatifs de ce monde parlent et qu'on se doit d'avoir « pour être heureux », à fouiller dans le fond de leur cœur à la recherche d'une raison de vivre. Armel n'avait pas d'enfants, pas d'époux, plus de famille, mais sa chaleur, elle la trouvait quotidiennement au fond de ses chaudrons, toujours présents, toujours fidèles. Et elle avait des amis aussi. Quelques-uns. Elle l'espérait, bientôt sûrement plus…

Elle entendit la porte du bâtiment grincer, puis un brouhaha et des pas dans l'escalier. Elle se hâta vers son huis en prenant garde de ne pas trop faire grincer son plancher et, dans l'entrebâillement, tenta d'apercevoir qui venait d'entrer. Elle entendait des voix fortes et stressées, mais n'arrivait pas à comprendre ce qui se disait. Des clients venaient d'entrer chez Bili, le propriétaire. Pour l'instant, Armel n'en savait pas plus et ça la rendait nerveuse. À qui donc avait-elle affaire cette fois-ci ? Elle détestait attendre. Pourtant, c'est ce qu'elle dut faire de longues minutes avant de voir le petit Théophane, son papa et sa maman. Surprise, elle eut aussi chaud au cœur et sortit de chez elle sans hésiter, pendant qu'ils montaient, les bras chargés.

— Bonjour ! les accueillit-elle, spontanément.
— Qu'est-ce que vous faites ici ? dit André, vraiment surpris.
— J'habite ici, c'est chez moi. Bienvenue chez moi ! insista-t-elle.
— Vous habitez dans un hôtel ? questionna Justine à son tour, en haletant.
— Oui… Mais vous, vous ne deviez pas être à l'Hôtel du Palais ?
— En principe si, mais ils ont subitement eu des problèmes d'électricité. Les clients ont dû partir.

Armel sentait un râlement dans ses poumons. Elle fronça les sourcils. Visiblement, cette maman avait des problèmes de santé.

— Est-ce que c'est à vous ? Vous avez un hôtel ? s'intéressa vivement Théophane qui, derrière son père et sa mère, avait la vue cachée.

Il tentait d'apercevoir la vieille dame, mais n'y arrivant pas, se tortillait et agrippait les jambes de son père dans le but de le contourner, incapable d'attendre son tour.

— Arrête ! hurla ce dernier qui manqua de perdre l'équilibre. L'escalier était plutôt abrupt.

Armel sursauta, très peu habituée à ces hurlements et à ces réactions vives et soudaines. Même si elle dut tourner sa langue sept fois dans sa bouche avant de parler et qu'elle n'avait qu'une envie, tirer les oreilles de ce papa impatient, elle ne dit rien pour ne pas couper le contact. De toute façon, elle ne devait pas juger de la situation, elle ne savait pas. Cette petite famille était visiblement à bout de souffle. Belle-Île était la destination rêvée pour eux, c'était certain.

Ils pénétrèrent dans leur chambre et claquèrent leur porte. Armel entra chez elle à son tour, mais au contraire, laissa la sienne entrouverte puis ouvrit le four. Une affriolante odeur indiquait que le kouign amann était prêt, doré juste à point. La vieille dame inspira profondément, se remplissant de cette essence qui allait la faire flotter jusqu'au goûter. Elle aimait tellement prendre son temps. C'était une sensible, Armel. Elle l'avait toujours été, même si la vie ne l'avait pas toujours épargnée, et même un tantinet durcie. Elle pensa à Théophane et à sa famille, sourit, puis se mit à rire de bon cœur. « Quel heureux hasard, tout de même », constata-t-elle à haute voix en se bidonnant. Elle pensa au jeune Bastian, bien agile de ses mains, qui peut trafiquer ce qu'il veut, et rigola encore un bon coup. Après tout, qu'y avait-il de mal à forcer un peu les choses ? De toute façon, Malavoie, le propriétaire de l'Hôtel du Palais, était un parfait imbécile. Ça ne lui coûterait presque rien pour réparer les dégâts causés à son panneau électrique. Quelques clients, tout au plus… Armel assumait pleinement ses décisions. C'est ce qui la caractérisait le plus.

Chapitre 4

Elle somnolait sur son fauteuil au large et haut dossier quand elle entendit la porte grincer. Elle sursauta et se retourna, mais ne vit personne entrer. Pourtant, elle entendait respirer, une respiration rapide et incertaine. Elle se retourna encore en direction de la cuisine et vit de petits pieds s'approcher d'elle, puis des mains menues se poser sur un bras du fauteuil.

— C'est quoi ça ? demanda Théophane en pointant un impressionnant bocal placé sur la table basse en face d'Armel.

Elle sourit et se déplaça légèrement pour le voir.

— Ce sont des pouces-pieds. C'est un délicieux fruit de mer très très prisé par les habitants de l'île... et par les connaisseurs des autres continents, très loin... C'est délicieux, mais cher. Je te ferai goûter si tu veux.

Le petit grimaça. Il est vrai que ces espèces de griffes rouges, grises, noires et blanches pouvaient être effrayantes pour un garçonnet de cet âge. Jamais il n'aurait pu imaginer en faire son repas ! Il était plutôt convaincu que ces pattes immondes appartenaient à un monstre qui échouait à l'occasion sur l'île et que des pêcheurs traquaient en espérant faire quelques sous. Brrr... Mais qui était donc cette femme pour en avoir conservé un échantillon dans du formol ?

Du haut de ses six ans, il la regardait, presque dégoûté.

— Mais puisque je te dis que c'est délicieux !

Et en plus, elle en mangeait ! Elle le regarda malicieusement en lui frottant la tête.

— Ne crains rien va, j't'en ferai pas manger.

On pouvait voir la même relique à la Citadelle de Vauban, juste à côté du port, mais la vieille dame se vantait d'avoir été la première à en avoir une, achetée d'un marin qui passait par là… un marin qui n'aurait d'ailleurs pas trouvé désagréable de repartir avec elle. Mais comme il n'était pas question pour lui d'un jour mettre pied à terre, il n'était pas question non plus pour Armel de tout abandonner, de quitter Belle-Île. « Trop frivoles ces marins ! » Elle en savait quelque chose. « Et puis, je suis mariée à mon île. Je ne la trahirai jamais. Comme elle ne m'a jamais trahie… contrairement à ses habitants. »

— Est-ce que je peux en avoir ? demanda le bambin, soudainement attiré par autre chose.
— De quoi ?
— De ce qui sent bon partout ?

Armel sourit. Elle aimait bien ce petit. Il avait une bonne âme, c'était palpable.

— Bien sûr…

Elle regarda sa montre qui indiquait 3h15 et se leva.

— Il n'est pas encore l'heure du quatre-heures, mais ce n'est pas grave. On ne le dira à personne. On va appeler ça un trois heures et quart pour aujourd'hui.

Théo lui adressa un large sourire. Il était ravi. Elle lui répondit avec un clin d'œil et il la suivit jusqu'à la cuisinière. Elle ouvrit tout grand le four qui laissa s'échapper une chaude vapeur, enivrante, appétissante, délicieuse. Armel aimait prendre le temps de sentir en fermant les yeux, comme pour emprisonner dans sa mémoire ces souvenirs olfactifs plus forts que tout. Le nez était, à son avis, le sens qui se souvenait le plus. Tout s'oubliait, mais pas les odeurs. Avec les odeurs, on était catapulté dans le passé, frappé par l'émotion qu'elles interpellaient. Le nez se souvenait de ce que la mémoire oubliait. Un parfum de dame, la sueur d'un homme ou l'odeur de sa crème à raser, celle de la peau d'une maman dans les bras de laquelle on s'est tant blotti, celle de la pipe d'un grand-père qu'on a tant aimé, d'un fleuve qui coule plus lentement que les poissons dans son ventre, des herbes fraîches qui se dandinent dans les jardins au gré du temps…

— Sens, petit. Sens et n'oublie jamais.

Théophane avança promptement et eut un mouvement de recul en sentant la chaleur lui brûler légèrement le bout du nez. Armel ricana :

— Doucement, gourmand !

Elle observa cet enfant, qui avait tant d'énergie, tournoyer autour du four. Elle en était tout essoufflée. Son univers était plutôt calme et plat d'ordinaire. Elle se ravisa : calme, mais jamais plat. Les cheveux du gamin étaient, quant à eux, tout sauf plats : ils semblaient ne pas avoir été brossés depuis des mois. Ils se dressaient à l'arrière de sa tête sous l'effet d'une rosette tenace et rebelle. Avec ses incisives supérieures espacées, ce gamin avait vraiment une belle bouille. Il y avait ses yeux aussi, de grands yeux verts prêts à tout assimiler. Pas étonnant que personne n'arrivait à le ralentir ! Tout ce qu'il voyait autour de lui le fascinait, le stimulait. Et chez Armel, malgré l'espace si restreint, les détails, ce n'est pas ce qui manquait.

La vieille dame sortit de ses rêveries et extirpa le gros moule à gâteau brûlant d'un seul trait, sans mitaine, sous les yeux ébahis de Théophane.

— Vous prenez pas de gants ?
— Pas besoin, dit la dame en riant. J'ai l'habitude.

Le petit était estomaqué. Il porta ses mains au gâteau qu'elle venait de déposer sur le plan de travail et le toucha avant même que la vieille dame eut le temps de l'empêcher de se brûler. Il sursauta et son visage se crispa de douleur. Il était sur le point de pleurer.

— Ah misérable ! Je t'avais dit que c'était très, très chaud ! Mais tu n'écoutes donc pas ? !

Quelques larmes s'immiscèrent dans les yeux de l'enfant. Visiblement, toutefois, on lui avait appris à ne pas pleurer et ses émotions furent retenues. Juste à temps...

— Ta gourmandise va te perdre, le sermonna-t-elle pour la forme. Viens ici que je te conjure.
— Que vous me quoi ?
— Que je te conjure, répéta-t-elle en lui prenant la main.

Elle se concentra, fit des signes de croix au-dessus de sa petite paume en bougeant les lèvres. Théo n'arrivait pas à comprendre ce qu'elle disait et trouvait cette vieille dame un peu étrange, mais elle sentait bon. Il trouvait rarement que les vieilles dames sentaient bon. Elle avait l'odeur de la nourriture et non du vieux grenier bien humide ou celle des médicaments qu'on ressort après les avoir enfermés pendant vingt ans dans le placard à chaussures. Les vieux sentaient souvent mauvais. Toutes sortes de choses que Théophane n'arrivait pas toujours à identifier. Ça dépendait du vieux. Il se dit soudain qu'Armel ne devait pas vraiment être une vieille puisqu'elle sentait les pâtisseries. Pourtant, elle en avait des rides sur le visage ! Et elle n'était pas vraiment chanceuse d'avoir perdu toutes ses dents ! Elle n'était pas très belle en fait, mais Théophane lui pardonnait parce qu'elle sentait le gâteau... et les bonbons aussi. Tout autour d'elle était si bizarre. Était-elle magicienne, fée ou gentille sorcière ? Quelque chose du genre, c'était certain.

Elle le prit doucement par le bras.

— Allez viens, attendons que le gâteau refroidisse. De toute façon, il est meilleur quand il est froid.

Elle l'amena dans le salon et lui donna des cartes.

— Tu veux jouer ?

Mais Théophane était déjà ailleurs. Ça avait du bon, il avait totalement oublié qu'il avait mal aux doigts. En fait, miraculeusement, il n'avait plus mal. Il ne cessait de tourbillonner dans la pièce à la découverte de tout et de rien. Il en voulait encore et toujours plus.

— T'as pas de télé ? lui demanda-t-il.
— Non et j'en veux pas, dit Armel en s'avançant vers lui.
— Pourquoi ?

— Parce que ça te pourrit le cerveau... Avec la télé, t'as plus besoin de penser. Et en plus, ça t'enlève du temps pour jouer dehors.

— Moi, j'aime bien regarder la télé, dit le môme en ouvrant la porte du buffet.

— Oh là garnement ! Qu'est-ce que tu fais ?

— Est-ce que t'as des bonbons ?

— Elle est bonne celle-là ! Il se trouve que même si j'en avais, je t'en donnerais pas.

— Vous êtes pas très gentille. Pas de gâteau, pas de télé, pas de bonbons, ronchonna-t-il.

— Je t'ai proposé des cartes et t'en n'as pas voulu... Referme ça tout de suite.

Mais le petit insista en ouvrant la porte encore plus grand, attiré par un objet. Il plongea la main dans le buffet et en sortit un cheval de bois.

— Je t'ai dit de laisser ça, malheureux ! lança Armel sèchement.

Elle se réjouit d'avoir des étagères si haut posées. Aucun gamin ne pouvait atteindre ses trésors. Le petit, saisi, fit tomber la bête dont la tête se détacha de son corps au contact du sol, et roula sous le divan. Théo regarda la vieille dame, craignant une colère terrible, et faillit s'enfuir, mais voyant son air terrifié, la vieille dame le rassura en le prenant par le bras et en l'attirant vers elle. Elle s'assit sur le divan, l'air accablé. Théo était sur le point de se débattre, comme il avait l'habitude de le faire, quand Armel prit sa voix la plus douce pour le calmer.

— Je ne te ferai rien, rassure-toi. Tu es beaucoup trop mignon. C'est bien ça le problème.

Elle soupira. Le petit la regardait avec ses grands yeux, mais ne savait plus trop sur quel pied danser. Il s'était attendu à un grand cri, à une gifle, à une punition, mais il n'avait rien eu. Qu'allait-elle donc lui faire maintenant ?

— Va me chercher le cheval... et sa tête aussi.

Théo dégagea doucement sa main qu'elle libéra, et exécuta les ordres de sa nouvelle amie. Il revint près d'elle et lui remit ce qui restait de l'animal. Ses gestes étaient plus délicats, plus posés.

— Je suis triste que mon cheval ait perdu sa tête parce qu'il représente beaucoup pour moi.
— Je fais toujours des bêtises, dit le petit en faisant la moue.
— Oh tu sais, tu n'es pas le seul, tous les gamins de ton âge en font.
— Moi, c'est pire.
— Il suffit d'obéir à tes parents, gamin, et tout va bien aller.
— J'y arrive pas, dit-il en tentant de remettre la tête de la bête en place.
— Je sais... murmura la vieille, j'ai bien vu.
...
— Tu sais pourquoi je l'aimais tant ce cheval ? expliqua Armel en s'enfonçant dans son fauteuil et en le levant bien sur ses genoux.

Le petit fit non de la tête.

— C'est qu'il appartenait à un ami à moi qui s'appelait Nathan. Je l'appréciais beaucoup. Il était jeune et très grand.
— Et toi, t'étais vieille ?

Armel sourit.

— Non, à cette époque-là, j'étais jeune aussi... Il avait un cheval noir et pour ça, tout le village de Kerel l'appelait le cavalier noir. Il adorait galoper sur son cheval. C'était son grand-père qui le lui avait offert, mais même s'il aimait son papi, Nathan ne suivait pas vraiment les consignes qu'il lui donnait. Il n'écoutait pas plus ses parents d'ailleurs, ni ses amis. Ainsi, il s'aventurait sur les pentes escarpées, sur les plages rocailleuses ou dans les champs déserts, sans surveillance. Il se croyait tout permis. Après tout, il avait seize ans et à l'époque, on se sentait homme à cet âge-là.

— C'est vrai que c'est vieux. Tu m'avais pourtant dit qu'il était jeune.

Armel sourit. Du haut de ses quatre-vingt-douze ans, ses propres seize ans étaient si loin. Pour Théo aussi, seize ans, c'était bien loin, mais loin devant. Il avait envie d'y être tout de suite pour qu'on cesse de le sermonner.

Étonnamment, il ne bougeait plus, comme hypnotisé par les paroles de la vieille dame. Elle continua, encouragée :

— Puis un jour, donc, il se rendit comme tous les matins sur la plage de Kerel où il y avait un grand trou d'eau en plein milieu de la plage. Le grand trou y est encore, tu le verras si tu y vas avec tes parents. « N'y mets jamais le sabot de ton cheval, tu pourrais t'y enfoncer et disparaître », lui rappelait ses amis, ses parents. Mais Nathan n'était pas du genre à se laisser imposer quoi que ce soit. Il était très frondeur. Or, un jour, fier et courageux, se croyant invincible, il se mit au galop et passa sur le trou d'eau avec son cheval pour prouver que tout ce qu'on lui disait était des sornettes et qu'il était bien au-delà de ça.

— Et qu'est-ce qui s'est passé après ? demanda Théo en commençant à s'agiter.

— Le trou l'a englouti et on ne l'a jamais revu.

— Pas vrai !

— Aussi vrai que je te le dis ! opina Armel, aussi convaincante que pouvait l'être une vieille qui en avait raconté plusieurs autres avant.

Le petit demeurait dubitatif. Disait-elle la vérité ? Armel, saisissant le doute dans l'œil du petit, ajouta :

— Il faut toujours que tu suives les consignes. Il y a une raison à tout... Les parents ne sont pas bêtes... En tout cas, pas toujours... Ils ont leurs raisons.

Elle lui caressa les cheveux un bon moment. C'était irrésistible.

— Allez hop, dit-elle en se levant avec peine. Ce n'est pas le tout. Il y a un excellent gâteau qui nous attend.

Le regard du petit Théophane s'éclaira et il se releva d'un bond, son cheval décapité en main. Il faillit le déposer sur le fauteuil, mais il y avait dans ses gestes une hésitation palpable. Armel sourit.

— Tu peux le garder, va. Mais tu dois y faire très attention. Tu demanderas à ton père de le recoller.

— C'est vrai ? Il est à moi en vrai ?

— Vrai comme je suis là ! affirma Armel en boitant légèrement jusqu'à la cuisine. Encore ses foutus os qui la faisaient souffrir. Il y aurait de la pluie dans les trois prochains jours. C'était certain.

Théo enferma le corps de son cheval dans la poche droite de son short vert, et la tête dans la poche gauche.

— Je vais demander à Papi de le recoller. Ça va être mieux. Il va vouloir, Papi. Il veut toujours.

Armel coupa deux parts de kouign amann en les disposant dans deux assiettes de porcelaine.

Sur chacune d'elle figuraient des poissons qui nageaient dans un océan bleu. Théo les regarda, fasciné et n'entendit pas ce que lui dit Armel. Elle haussa le ton en lui donnant un verre de lait. Puis, elle se servit du lait Ribot, dont elle versa une petite quantité sur son gâteau. Le lait Ribot était beaucoup plus épais que le lait ordinaire, à cheval entre la crème et la crème fraîche. Son goût ressemblait davantage à la crème aigre. Armel y avait été habituée toute petite et elle l'adorait avec la tarte aux pommes, le flan et de nombreux autres desserts. Mais elle se doutait que le petit n'apprécierait pas. Elle lui fit goûter, il grimaça. Il préféra de loin son lait et… son gâteau. Il se régalait.

— Mon père, il travaille et il est trop occupé, lança-t-il soudain, la bouche pleine.
— Pourquoi tu dis ça ?
— Pour la tête du cheval, c'est mieux Papi.
— Mais c'est pas compliqué, coller une tête sur un cheval ?
— Quand même, fit le garçon en tentant d'enfoncer la fourchette dans la pâte au beurre qui résistait à l'ennemi. Il peinait à avoir son dû.

Armel rit.

— Mange donc avec tes doigts !
— Mais c'est pas poli !

— Ce qui l'est pas, c'est de pas faire honneur à un repas... Et au rythme où tu avances, il y aura plus de miettes par terre que dans ton ventre avant ce soir.

Théophane était ravi et s'exécuta sur-le-champ. Il était rare qu'on lui permette une telle indiscipline. La vieille dame le regardait manger avec plaisir. Elle se délectait de cette image d'un garçon heureux, la bouche pleine et bientôt la panse aussi, qui ne demandait rien de plus à la vie qu'un peu de temps, d'attention et de douceur de vivre. La sainte paix. Un peu grâce à elle... Armel n'avait pas grand-chose, mais ça, elle l'avait. Elle était si calme et dégageait une si grande sérénité que chez elle, le temps s'arrêtait, les gens se calmaient, s'aimaient, s'endormaient aussi même. Mais elle ne s'en offusquait pas, voyant plutôt ça comme une mission accomplie.

Dans son appartement, il n'y avait pas de bruit, pas de télé, pas de console de jeu, pas de téléphone ni d'ordinateur. Parfois, le samedi en bas de chez elle, on entendait les vendeurs héler les clients pour les faire consommer, mais ce bruit était si habituel pour elle qu'elle ne l'entendait plus. Il y avait maintenant trente-six ans qu'elle était là. Elle connaissait toutes les voix du marché et décelait, en une seconde, les nouvelles qui s'ajoutaient parfois aux anciennes dans le but de faire des profits, mais qui repartaient souvent, déçues. On ne venait pas à Belle-Île-en-mer pour faire des affaires d'or au marché et celui-ci rapetissait d'année en année, au grand désespoir de la vieille dame. C'était dans l'air du temps. Certains appréciaient le bruit des oiseaux, la beauté du coucher de soleil, le fracas de la mer ou le spectre du vent, et quelques-uns restaient parce qu'enfin, ils respiraient. D'autres y revenaient pour la retraite après en avoir rêvé toute une vie.

Ce qu'il était beau cet enfant. Mais tellement glouton !

— Est-ce que je peux en avoir un autre ? demanda-t-il en tendant son assiette.

Armel était éberluée. Elle n'avait même pas commencé sa part. Il avait littéralement avalé sa portion !

— Je ne sais pas si ce serait très raisonnable, dit-elle en consultant sa montre.

Elle réfléchit quelques secondes, puis se leva pour le resservir.

— Allez, tu l'as bien mérité et puis même si tu mangeais moins ce soir ; une fois n'est pas coutume !

Théophane lui répondit d'un large sourire en la regardant couper une généreuse part de ce délice sucré. Armel aimait bien les recettes de Bretagne. Elles n'étaient pas fines comme pouvaient l'être les mets de Paris avec leurs sauces et leurs pâtes feuilletées, mais elles ressemblaient à ses gens : honnêtes, simples et généreuses. En outre, elles se préparaient avec les produits de l'île et encourageaient les habitants qui n'étaient pas très fortunés, quoique heureux.

La vieille dame attrapa deux radis sur la table et sortit trois verres de plastique de son armoire. Trois verres bleus. Théo fronça les sourcils, la bouche pleine, en se demandant si vraiment cette femme allait manger des radis avec son gâteau. Elle se rassit et plaça les verres à l'envers devant elle en y incluant les deux légumes rouges.

— Regarde bien, dit-elle en fixant le petit dans les yeux, comme s'il était investi d'une mission.

Théophane cessa de manger et la regarda attentivement, comme elle le lui avait demandé.

— Essaie de suivre mes mains et de me dire dans quel verre il n'y a pas de radis.

Le petit sourit. Il adorait qu'on le mette au défi. Comme il était particulièrement brillant, c'était le seul moyen de le tenir pour qu'il ne fasse pas de bêtises. La vieille dame s'exécuta, mais avec une telle habileté et une telle vitesse que Théo s'en trouva déconcerté. Il ne réussit pas à découvrir sous quel verre il n'y avait aucun radis.

— Mais comment tu fais ça ? lui demanda-t-il. En plus, il y a une nappe et ça te ralentit même pas !

Armel rit de bon cœur.

— C'est mon truc préféré... Mais regarde, je suis certaine que toi, tu vas arriver à trouver.

Elle recommença à bouger ses verres en suivant les yeux du petit dont les pupilles ne cessaient d'osciller au même rythme que les doigts agiles de la vieille dame. Et pourtant, ces doigts étaient déjà tordus par la vieillesse. Théo le remarqua.

— Est-ce que ça te fait mal ?
— Comment ? demanda Armel, trop concentrée pour s'imaginer qu'il avait remarqué un tel détail dans l'action.
— Tes doigts... Ils sont tout drôles, tout tordus, ça doit faire mal.

Armel sourit et s'arrêta en le regardant.

— Oui, parfois ça fait mal. Et tu sais quoi, je vais même te dire que ça fait mal de vieillir.

— Et ben, j'ai pas hâte.

— Mais tu connais le truc pour jamais avoir mal ? dit-elle en lui prenant les mains tendrement.

— Non.

— Tu vieillis jamais !

Il la regarda, stoïque.

— Non, sans blague, fit-elle en riant. Ça tu peux pas. Mais ce que tu peux faire, c'est de regarder tout ce que tu as autour de toi jusqu'à ce que tu trouves quelque chose de beau et là, tu l'admires sans penser au mal et ça finit par passer.

— Mais quand t'as mal tout le temps, tu trouves pas toujours quelque chose de beau ?

— Ah là, mon petit gars, t'es dans de sales draps ! dit la vieille dame, déconcertée par la vitesse d'esprit du gamin.

Théophane était loin d'être convaincu cette fois.

— Allez garnement, tu ne t'en tireras pas comme ça !

Elle fit virevolter à nouveau ses radis sous son verre, faisant passer le droit sous le gauche, le gauche au milieu et ainsi de suite pour tenter de duper son apprenti qui s'amusait plutôt bien de ce tour de magie. Le verre du centre demeura sans radis et Théophane le pointa :

— Celui-ci.

Armel était surprise. Elle le félicita promptement. Croyant à un hasard, elle recommença encore une fois, puis une autre et une autre, et toujours le petit marquait un point. C'était impressionnant. Rares étaient ces gens qui réussissaient à voir clair dans son jeu d'illusion. Ce petit, c'était quelque chose. Ils jouèrent une bonne dizaine de fois et Théo les eut toutes !

Puis, des pas dans l'escalier et des cris insistants vinrent bientôt les sortir de leur petit monde.

— Théo ! Théo ! criait sa mère alors que son père dévalait les escaliers en panique.

Le petit blanchit en se levant.

— Tu ne leur as pas dit où tu étais ? demanda la vieille dame qui, consultant sa montre encore une fois, constata qu'il était avec elle depuis bientôt une heure.

Théophane était figé. Il ne répondait pas, ne parlait plus.

— Allez viens, dit Armel en se levant à la hâte pour marcher vers la porte.

Il la suivit, hésitant.

Elle ouvrit.

— Il est ici ! hurla-t-elle dans la cage d'escalier.

Mais les deux parents étaient déjà partis et criaient le nom de leur fils dans la rue.

— Vas-y, implora-t-elle à Théo, vas les rejoindre sinon, ils vont être très fâchés.

Théo, légèrement poussé par Armel, descendit rapidement les marches et se retrouva dehors, mais sa mère et son père n'étaient plus visibles. Armel, qui était à sa fenêtre au deuxième, le somma de revenir.

— Viens, ils reviendront.

...

— Mais qu'est-ce qui se passe ici ? demanda le propriétaire en sortant de sa tanière.

Armel se rendit à nouveau dans la cage d'escalier pour y accueillir le petit, mais surtout pour calmer Bili, qui aimait grogner à ses heures. Plutôt rond et court, il portait une moustache brune, tirant sur le roux, ce même roux qui se retrouvait parmi le peu de cheveux qu'il lui restait. Il lui parlait en la regardant d'en bas, du premier étage qu'il avait investi pour faire la gestion des six chambres de son établissement.

— Vous allez me faire perdre des clients avec tout votre vacarme ! maugréa-t-il encore.
— Oh là, là ! Soyez honnête Bili. Il n'y a pas un seul client à part cette famille et c'est bien grâce à moi s'ils sont tous les trois ici.
— Qu'avez-vous encore fait ? dit-il en s'appuyant sur le chambranle de la porte.

Théophane lui passa sous le bras et monta jusqu'à Armel pour se protéger de cet adulte à la voix tonitruante. Elle lui sourit, lui donna son assentiment, et il entra s'asseoir sur le divan où il demeura bien tranquille. Il avait l'impression qu'il en avait assez fait et craignait le pire.

— Il va falloir que vous pensiez à vous trouver autre chose, Armel. Ça fait deux ans que je vous dis que ça ne peut plus durer comme ça.

Elle lui claqua la porte au nez. Elle préféra ne rien entendre plutôt que ses âneries. Qui oserait déraciner une vieille dame de quatre-vingt-douze ans, mignonne comme tout, fonctionnelle et admirable cuisinière ? Non, Armel ne le comprenait pas. Elle lui apportait chaque année les seuls clients qu'il recevait. Elle leva les yeux au ciel. Elle était son souffre-douleur et au fond, ça ne l'affectait pas du tout.

Elle alla s'asseoir près de Théophane et ils échangèrent un silence... très bref. Armel sentait son angoisse.

— Qu'est-ce qu'on fait maintenant ?

Il haussa les épaules.

— Il va falloir attendre tes parents et s'expliquer.

Il haussa à nouveau les épaules. Armel sourit et osa un bisou sur son front. C'était irrésistible. Ils s'installèrent à la cuisine et jouèrent aux cartes. Elle le sentait fébrile. Il la sentait, tout simplement. Elle sentait encore le gâteau. Il adorait le gâteau. Il adorait déjà Armel.

Chapitre 5

Quinze minutes plus tard, la porte d'en bas s'ouvrit. Armel et Théo se levèrent rapidement en direction du couloir. Armel y passa la tête et vit la maman de Théo, en pleurs, au bas des escaliers. Elle montait d'un pas lourd et désespéré. Il n'y avait plus un instant à perdre.

— Ne vous en faites pas, il est ici.

La maman leva la tête, pleine d'espoir, et grimpa les marches quatre à quatre.

— Vous auriez dû venir voir ici avant, poursuivit la vieille dame qui tentait de sauver les meubles avant que ça n'explose.

Mais sitôt rendue en haut, la joie de la femme se transforma en colère lorsqu'elle découvrit le petit. Elle le prit tout d'abord dans ses bras et le sermonna ensuite. Théo en était tout perdu. Elle le regarda sévèrement, la panique dans la voix.

— Je t'avais dit de ne JAMAIS, JAMAIS disparaître sans nous dire où tu es. On te croyait dans ta chambre.
— Je l'ai dit, se défendit Théo, mais vous m'avez pas écouté.
— Comment ça, on t'a pas écouté ?! fustigea-t-elle. Comment ça on t'a pas écouté ?! Depuis quand on t'écoute pas ?!

Mais Théo n'eut pas le temps de répondre (il lui aurait sûrement dit « depuis toujours », s'il en avait eu l'occasion), pas plus d'ailleurs qu'Armel qui aurait bien aimé intercéder en sa faveur en jetant le blâme sur elle. Mais Justine venait de découvrir les deux assiettes dans lesquelles ils avaient tous les deux savouré leur kouign amann.

— Qu'est-ce que c'est que ça ? !!

Elle était rouge de colère. Armel tenta encore de réparer les dégâts, sans se douter de ce qui l'attendait.

— C'est… C'est un dessert typiquement breton. J'ai pensé que ce serait parfait pour le goûter… et il avait faim.
— VOUS AVEZ PENSÉ ? !! VOUS AVEZ PEN-SÉ ? !! MAIS AVEZ-VOUS PENSÉ QU'IL POUVAIT PEUT-ÊTRE PAS EN MANGER ? QU'IL ÉTAIT AL-LERGIQUE ?

Elle était maintenant bleue de rage et Armel, franche-ment interloquée. Elle ne pensait pas qu'un geste d'une telle simplicité allait générer une si grande commotion. Elle avait nourri tant de gens, c'était la première fois que ça lui arrivait. Elle bégaya :

— Je… Je… je savais pas.
— ET BIEN QUAND ON SAIT PAS, ON FAIT PAS ! Surtout pas sans l'autorisation des parents. Et toi, poursui-vit-elle, en se retournant vers son fils, tu es assez grand pour le dire maintenant ! Tu le sais pourtant !

Théophane affichait un air penaud. Elle se mit à genoux devant lui en lui prenant les bras.

— Ça nous a pris tant de temps pour y arriver. Pour te mettre ça dans la tête, poursuivit la mère telle une tigresse qui protège son tigron.

— Mais qu'est-ce qu'il a au juste ? osa demander la vieille dame d'une voix paisible. Je n'ai pas vu de boutons, ni d'enflures.

Justine se releva et s'affala sur une chaise. Elle tremblait. Elle prit une grande inspiration, lissa ses cheveux vers l'arrière et releva la tête en descendant son bas de dos sur le siège de la chaise, les pieds étendus en avant.

— Théophane souffre de la maladie cœliaque... Il est allergique au gluten... au blé. Tout ce qui contient du blé endommage ses intestins. Quand il en mange, il absorbe mal les vitamines et les protéines dans son alimentation. Résultat : il a des problèmes de toutes sortes, dans son cas, ce sont surtout des troubles nerveux et d'hyperactivité...

Elle renifla.

— Et si on continue à lui donner des gâteaux et des biscuits et toute cette mmm... enfin, vous comprenez, il développera des allergies, des défaillances musculaires et un paquet d'autres problèmes. Il suffit d'un seul manquement à son régime et tout est à recommencer...

— Mais je cuisine avec des produits tout naturels...

— Aucun rapport, envoya la maman, à la limite de l'exaspération.

Elle renifla à nouveau en regardant son fils, qui se tenait tout près d'Armel, comme pour se protéger, se rassurer. La vieille dame s'assit sur le divan à son tour et écouta attentivement cette histoire qu'elle n'arrivait pas à concevoir. Comment pouvait-on être allergique à de si bonnes choses ? À toutes ces gâteries qui bercent l'enfance et qui mettent du baume au cœur des gamins ?

— ...Ça nous a pris un an à commencer à voir une différence dans son comportement. Vous le trouvez actif ? Vous avez rien vu ! Il y a un an, il était carrément intenable.

Armel était sans voix. Bien que sur l'île, ce type d'allergies ne soit pas courant, elle avait souvent lu des histoires du genre dans les journaux, les magazines et même entendu dans les conversations. Des histoires d'horreur, pensait-elle alors. Quelque chose ne tournait pas rond sur cette planète. Pourquoi maintenant et pas dans son temps ? Avec quoi pouvait-on bien faire les aliments aujourd'hui pour qu'on soit aussi allergique ? « Et qu'ils viennent pas me dire que c'est parce qu'avant, on n'en parlait pas ! C'est pas vrai ! Ils ne me feront pas croire ça ! Même qu'avant, on était encore plus pipelettes. Bien sûr que les ragots faisaient moins de chemin, mais tout finissait par se savoir. Et des histoires comme ça, il n'y en avait pas, je vous le jure ! » La cause ? Les pesticides ? Les pluies acides ? Les nuages toxiques ? Les engrais chimiques ? Le mercure dans les poissons ? Chose certaine, le corps humain se défendait contre quelque chose. Il n'y avait pas à redire. Armel secoua la tête, comme pour chasser ses pensées.

— Votre propriétaire nous a promis qu'il ne ferait pas de nourriture contenant du gluten.

Armel pensa à Bili. Ce qu'il ne ferait pas comme promesse pour garder un client ! Il devait même pas savoir ce qu'était du gluten. Lui avait-il dit que ce qu'il faisait à manger était si indigeste ?

— Je suis vraiment désolée… dit encore une fois Armel, envahie par une grande tristesse.

Elle fixait le bambin à qui elle trouvait qu'on venait de voler une grande partie de sa vie. D'accord, il y avait pire : cancer, sclérose en plaques, paralysie cérébrale, autisme, mais de combien de centaines d'aliments ce gamin allait-il être tenu éloigné dans sa vie ? Oh oui, elle était bien triste… Et pour se faire pardonner, elle les invita à dîner. Justine refusa net, mais Armel avait ce petit quelque chose de plus qui faisait que ses demandes étaient toujours convaincantes et qu'au bout du compte, on ne pouvait lui résister.

Chapitre 6

Théo était ravi. Au menu ce soir : des galettes et des crêpes ! Il pourrait enfin goûter les vraies crêpes bretonnes qu'Armel avait pris soin de faire avec de la farine de riz. Pas facile à trouver, mais quand on a des amis qui vont sur le continent et qui nous ramènent des denrées rares, ça se passe tellement mieux...

Elle avait emprunté le jardin pour faire sa réception. Qu'est-ce que Bili pouvait lui dire ? « Non, il y a trop de clients, ça va déranger ? » Franchement, il n'avait aucune raison de lui refuser quoi que ce soit, même s'il ronchonnait chaque fois des phrases du genre : « Comment je peux faire des profits moi, si tu les nourris ? Ils mangeront jamais chez moi » Mais il le savait bien et Armel aussi, qu'après avoir mangé une fois chez lui, ils n'y retourneraient pas. Il était aussi mauvais gestionnaire que piètre cuisinier. On se demandait même pourquoi il avait acheté un hôtel. Peut-être parce qu'on lui avait dit d'investir pour sa retraite ? En attendant, il perdait de l'argent, c'est tout ce qu'il arrivait à faire.

Il était installé devant sa télé dans son bureau, la porte ouverte sur le jardin, et regardait le match de foot en se retenant de crier. Le Brésil affrontait l'Allemagne. Qui allait donc jouer contre la France en quart de finale la semaine prochaine ? C'était le but de sa vie, le foot. Bien plus que les clients.

Armel, tout au contraire, n'en avait rien à cirer. « Mais que peuvent-ils trouver d'amusant à courir après un ballon devant tout le monde ? » Elle n'avait jamais aimé le sport. Correction : elle aimait le sport pour le pratiquer, mais pas pour le regarder. Quoiqu'en finale, elle se révélait une véritable fanatique. Après tout, la France, c'est la France et quand les Français avaient besoin d'elle, elle était là. Fidèle au poste. Elle s'en faisait un devoir.

Elle adorait faire la cuisine sur le poêle à bois du jardin. Un jardin luxuriant dont elle s'occupait elle-même avec des mains de maître. Elle n'avait pas seulement le pouce vert. Elle était verte au complet. Aucune ronce, aucune mauvaise herbe, aucun insecte indésirable ne lui résistaient. La table ronde était dressée sous un majestueux cerisier, vieux et fidèle avec lequel elle avait développé une véritable histoire d'amour. Elle lui parlait avec affection et lui récita les nouvelles du jour, en lui caressant le tronc, convaincue qu'il appréciait en lui donnant les plus belles cerises de la région. En réalité, des cerisiers, il y en avait peu à Belle-Île. Aussi, nombreux étaient les voisins qui s'étonnaient du succès qu'obtenait la vieille Armel avec cet arbre fruitier. Armel le disait : ils s'aimaient, voilà tout. Au moment de la cueillette, elle posait sous le monsieur de larges saladiers en terre cuite qui accueillaient les fruits murs tombant de l'arbre. Elle en faisait de la confiture ou de la gelée pendant que le petit Bastian venait cueillir, dans l'arbre, les autres cerises assez mures pour être mangées, mais pas assez pour tomber toutes seules. Le plus magique, c'est qu'Armel n'était pas obligée de le couvrir d'un filet afin d'empêcher les oiseaux de venir y becqueter les fruits. Il faut dire qu'avec les oiseaux aussi, elle entretenait une relation particulière…

Dans le coin gauche, un majestueux saule pleureur se réjouissait également des soins que lui accordait la vieille dame, et à droite, tout au fond de la cour, les feuilles d'un bouleau blanc célébraient la vie en dansant à chaque coup de vent, fréquent sur l'île. L'ensemble était apaisant, d'une grande beauté de jour comme de soir. C'était son coin de paradis.

Bili avait accroché des lampions aux branches de ces trois odes à la nature, conférant un éclairage à la fois tamisé et efficace aux lieux. Ils étaient allumés, mais pour l'instant, et malgré l'heure tardive (il était 21h30), les convives n'en avaient pas besoin pour manger.

Théophane bougeait comme un vers à choux : il courait partout, incapable de demeurer en place, arrachant les fleurs de chèvrefeuille pour y goûter alors que ses parents criaient sans cesse pour rétablir le calme. Même le havre de paix dans lequel ils étaient assis, même l'odeur enivrante des fleurs et la douce lumière qui se couchait sur la ville, même le vent doux et salin ne le ralentissaient pas.

— C'est le gluten ! paniquait Justine. Je suis certaine que c'est le gluten !

— Mais arrête à la fin ! lui envoya son mari. Ça peut pas toujours être la faute du gluten !

— Tu peux dire que c'est nous qui l'élevons mal aussi. Ça changera pas de tout ce que les autres pensent !

André soupira en levant les yeux au ciel. Comme la vie leur semblait lourde ! Décidément, ils n'étaient pas nés à Belle-Île, pensa Armel. Elle était désolée. Elle regardait leurs gestes rapides et saccadés, leur timbre de voix autoritaire ou paniqué, leurs émotions en dents de scie et convint qu'ils avaient vraiment besoin d'une pause. Ils étaient définitivement au bord de la crise de nerfs.

— Vous êtes de Paris ? tenta-t-elle.

— Pourquoi, ça paraît ? fit André, sarcastique.

Il savait bien que les Parisiens avaient la réputation de gueuler plus que les autres et d'être rongés par le stress. Armel se sentit mal. Il lui semblait que tout ce qu'elle disait, même pour être gentille, était retenu contre elle. Ça lui rappelait ses deux hernies discales. Une douleur aiguë et insupportable à chaque fois qu'elle se penchait. Décidément, elle aurait beaucoup de travail à faire !

Elle ne répondit pas et se leva pour touiller son mélange à galette qui reposait dans un bol sur la table derrière eux. Il était moelleux, juste à point, liquide comme il faut, sans trop. Elle leva la cuillère pour en vérifier la texture une ultime fois. La lumière du jour qui se couchait éclaira faiblement la pâte prête à être cuite.

Bili claqua la porte de son bureau en grommelant. Avec tout le vacarme que faisait le petit, il n'arrivait pas à suivre son match et allait bientôt perdre patience. Et pourtant, tout ce qu'il fallait, c'était l'occuper.

— Viens ici, mon chéri. Viens m'aider parce que sans toi, je n'y arriverai pas, tenta Armel.

Il n'écoutait pas vraiment, trop occupé à tyranniser le chat Minet qui tentait de passer inaperçu dans les buissons. Il tirait une de ses pattes pour l'attirer vers lui, mais celui-ci, sentant la soupe chaude, se refusait à toute soumission et ancrait ses griffes bien profondément dans la terre. Pas question que sa vie de mâle se termine dans les mains d'un gamin diabolique. Après tout, il n'avait que treize ans ! Dans sa tête de chat, il avait toute la vie devant lui !

— Allez, viens. Tous les sorciers de l'île ont dû brasser ma pâte à galettes pour devenir les sorciers qu'ils sont devenus et obtenir leurs pouvoirs.

Sorciers, île, pouvoirs, tout à coup, le petit entendait. Il lâcha tout. Minet put enfin souffler de soulagement et se réfugier sous le lilas. Théo déposa son bâton et courut vers Armel qui l'attendait en lui tendant la spatule de bois qui lui servait à malaxer sa pâte.

— Tu vois, tu fais comme ça.
— Qu'est-ce qu'il y a là-dedans ? demanda le gamin, curieux.
— Est-ce qu'Assurancetourix a déjà dévoilé sa recette de potion magique à quelqu'un ?
— Non.
— Eh bien, pour moi c'est pareil. Tu sauras pas. C'est une recette unique et tous les gens du continent viennent chez moi pour en manger.

Le petit était fasciné et écoutait avec une attention qui étonna d'ailleurs ses parents. Armel les regarda et vit une lueur d'espoir et d'enchantement poindre dans leurs yeux. À ce moment précis, elle comprit leur désarroi, elle vit à quel point ils pouvaient aimer leur fils et pourtant combien ils étaient désemparés devant cet enfant désobéissant, parfois insolent, et ce, malgré la sérieuse discipline que lui imposait son père. Les cris et les claques n'avaient comme seul effet de le perturber encore plus et d'aggraver son état. Entre les mains d'Armel, il était paisible et semblait heureux. Il faut dire qu'elle était une inconnue et qu'avec elle, il conservait une certaine pudeur. Il ne pouvait laisser aller toutes ses impulsions. Elle n'avait jamais eu d'enfants… enfin, pas vraiment, et pourtant, elle avait le tour. Elle aurait pu en avoir une centaine que ça ne l'aurait pas épuisée. C'est comme si les marmots lui donnaient de l'énergie. « Avec les gamins, je recharge mes batteries. Avec les adultes, je les mets souvent à terre », se plaisait-elle à dire. Bien que maintenant, elle les choisissait les adultes qu'elle voulait dans sa vie. Plus question de supporter les snobs, les manipulateurs, les mesquins, les méchants, les avares, les calculateurs, les égoïstes, les gens froids… Elle choisissait les humains, comme ses fleurs. Elle choisissait vraiment bien. C'était son sixième sens.

— Chef, dit-elle au petit, je vous somme de reprendre le flambeau et de continuer à touiller. Je dois maintenant devenir sommelière.

Elle lui tendit son tablier, la cuillère et lui expliqua brièvement comment brasser le mélange, en se concentrant pour ne pas en mettre partout. C'était ça le principal défi.

— Tu remues en regardant la substance, tu analyses sa texture, sa couleur, tu touilles toujours de droite à gauche en faisant un arrêt au milieu, tout en soulevant délicatement la pâte. Si tu en fais tomber par terre, un des sorciers enfouis dans la grotte de l'Apothicairerie va te jeter un sort.
— Oh, mais arrêtez, vous allez lui faire peur ! se plaignit vertement André.

Grand, mince et musclé comme un sportif d'occasion, André avait un air sympathique. Il ne lui restait que peu de cheveux noirs sur la tête, mais en revanche, il avait le teint basané et la peau du menton marquée par une forte barbe pourtant fraîchement rasée. Il aimait la bonne bouffe, le bon vin, râlait pour à peu près tout et criait souvent son indignation en regard des injustices ou des actions stupides des politiciens… et malheureusement aussi après son fils qu'il avait du mal à supporter. Il est vrai qu'il fallait une patience d'ange pour supporter le petit Théo. Et justement,

André en avait peu. Tout jeune déjà, Théophane avait droit aux hurlements de son père qui ne cessaient malgré le fait qu'il lui répétait « bobo oreilles, bobo oreilles », en tapotant ses deux oreilles avec ses petites menottes. À tout coup, Justine avait le cœur brisé. Mais qu'y pouvait-elle ? Père et fils étaient en constante opposition.

En bref, Armel savait qu'André avait bon cœur, elle le sentait, et pourtant, elle le trouvait austère. Austère face à sa femme, son fils, l'existence. La vieille se disait qu'il devait être bien fatigué pour critiquer la vie ainsi. Désillusionné. Elle sentait qu'il étouffait, mais elle connaissait le remède.

— Il faut pas trop lui en raconter, tenta d'expliquer Justine, mal à l'aise. Théo est très sensible et pour un rien, il nous fait des cauchemars pendant trois semaines en nous réveillant plusieurs fois par nuit.
— Et il n'y a jamais de gentils sorciers qui viennent le voir pour le protéger des cauchemars ?

Théo la regarda, stupéfait et porta son regard vers son père, comprenant qu'elle venait à l'instant de le défier. André leva encore les yeux dans les airs en soupirant. Peut-être venait-il de réaliser qu'il n'y avait rien à faire avec cette vieille dame un peu toquée et qu'il fallait laisser courir. Mais Théophane, lui, n'avait rien oublié et pendant qu'Armel servait un apéritif à ses parents, il questionna :

— C'est qui les sorciers qui viennent dans les cauchemars ?

La vieille dame déposa les deux apéros devant le couple, se tourna vers le petit et s'accroupit pour être à sa hauteur et lui porter toute son attention en le regardant profondément.

— Tous les habitants qui viennent sur l'île ont le droit à une faveur. S'ils vont faire une prière dans l'église de Locmaria, la plus vieille église de l'île, ils auront ensuite le privilège de faire copain-copain avec des gentils sorciers. Si tu y vas, que tu leur parles, tu auras tout ce que tu veux.

Le visage du gamin s'éclaira. Elle précisa :

— Pas des bonbons, des jouets ou des machins comme ça, mais des vœux que tu pourrais faire pour réparer une peine, effacer une peur ou changer des choses dans ta vie. Ça peut être pour demander la guérison de quelqu'un, par exemple. Ils sont magiques ces sorciers et très puissants. Ils calment, ils réconcilient, ils protègent.

Dommage pour les jouets, pensa le petit, mais quand même, il trouvait pratique d'avoir des amis sorciers, lui qui n'avait aucun copain qui voulait s'amuser avec lui. Il était beaucoup trop turbulent. Il se retrouvait donc seul, la plupart du temps, quand sa mère ou son père ne s'en occupait pas. Et il faisait des mauvais coups, soit pour se distraire, soit pour attirer l'attention.

— C'est quoi ? demanda André en regardant la liqueur brune qu'Armel venait de lui servir.
— Du chouchen, une boisson bretonne… magique.
— Ah non ! On ne nous la fait pas à nous ! tonna l'adulte en lui.

Armel sourit intérieurement, servit Justine et se retourna en marmonnant : « goûtez, on verra bien »…

Chapitre 7

Ses galettes étaient délectables. Elle se demanda même si désormais, elle n'utiliserait pas toujours d'emblée de la farine de riz pour les confectionner. D'accord, elle avait dû en rater quelques-unes cet après-midi avant d'obtenir le dosage exact des ingrédients pour en assurer la réussite, mais là ça y était : elle avait conquis ses invités.

Au menu : galette champignon – lardon – crème fraîche, galette chèvre – salade – noix, galette ratatouille – pomme de terre et une jambon – fromage pour le petit. Les crêpes maintenant : une, ou plutôt deux, euh… trois crêpes au sucre pour Théophane, une crêpe Suzette pour André, une fraise – crème chantilly pour Justine et Armel, une au miel.

Le tout harmonieusement arrosé de chouchen à volonté, sauf pour Théo, bien sûr. Et les têtes commençaient à tourner… mais si subtilement, que les convives ne s'en rendaient pas compte. Ils souriaient simplement candidement à la vie alors que le petit, tout calme devant son repas, leur laissait enfin un répit. C'est qu'il était fier : c'était lui qui avait préparé le repas. Et tout le monde se régalait, lui le premier !

Il y eut des échanges de baisers. Puis Justine et André se mirent à admirer le ciel. Le rouge flamboyant du soleil s'amalgamait au blanc des nuages épars ainsi qu'au bleu de la voûte céleste et de sa lumière qui ne semblait pas vouloir quitter ce monde pour céder sa place à la nuit.

— Allez sur le bord de l'eau. Près du quai là-bas, le soleil se couche à l'opposé du phare, mais la lumière qui s'éteint tranquillement sur l'eau offre un spectacle magnifique à ce moment de l'année.

— Je n'oserais pas… Le chouchen et tout… Je ne pourrais pas tenir Théo… et il y a le quai, l'eau… Vous savez, il ne faut jamais le lâcher, hein ?

La maman avait beau parler à mot couvert pour ne pas que son fils entende, Armel comprenait bien. Bili échappa un cri du fond de son bureau et s'excusa en regardant ses clients. Une équipe venait de marquer.

— Allez-y, allez-y. Je le garderai votre petit.

— Non… pas la peine, murmura Justine.

On sentait pourtant dans sa voix qu'elle aurait bien aimé dire oui.

— Et pourquoi pas ? insista la vieille dame.

— Ouais, pourquoi pas ? surenchérit André.

Justine se retourna, surprise, vers son mari d'habitude si dur, qui ne se permettait aucune incartade. Elle bégaya :

— Ben… ben…

En réalité, elle n'avait aucun argument pour refuser l'offre qu'on lui faisait. Elle ne savait plus combien il y avait de temps qu'elle ne s'était pas retrouvée seule avec son mari plus d'une heure. Elle sourit en pensant qu'elle ne savait plus comment faire. Saurait-elle quoi lui dire ? Avaient-ils quelque chose à se dire ? Et au fond, étaient-ils obligés de parler ? Dans un tel paysage, plus aucune parole n'était nécessaire. Laisser Théo seul… La vieille dame y arriverait-elle ? Au fond, elle l'avait bien gardé sans qu'ils le sachent cet après-midi et tout s'était bien déroulé… Enfin presque.

— Nous, on a une partie de cartes à finir de toute façon, ajouta Armel, convaincante. Pas vrai Théo ?

Le petit, repu, cria en se levant de table et en faisant tomber sa chaise. Il sauta sur lui-même en tourbillonnant. Il était si content de rester avec sa nouvelle amie qu'il ne contesta pas l'idée que ses parents puissent sortir tout seuls, lui qui, pourtant, ne voulait jamais quitter sa mère un instant... Mais Armel, c'était différent. Vraiment différent. C'est comme si elle n'était pas vraiment comme les autres. Une gentille sorcière ? Une fée ?

— Bon, bien, on y va si on ne veut pas le manquer ce coucher de soleil ? demanda André qui avait accroché à ses lèvres un sourire qu'Armel ne lui connaissait pas. Amoureux ? Grivois ? Libre ? Visiblement soulagé en tout cas.

Justine sourit à la vieille dame. Elle se sentait gamine, totalement. Elle se leva pour rejoindre son homme. À l'instant même, elle était emplie d'un grand amour pour lui. Et dire qu'elle en avait si souvent douté. Emportés par la routine de la vie quotidienne, ils oubliaient parfois. Surtout avec cette foutue maladie qui leur drainait totalement leur énergie.

Le couple allait partir quand André se retourna vers la vieille dame qui desservait.

— Laissez tout ça, on le fera en revenant.
— Meu non, j'ai l'habitude. Et puis, Théo va m'aider.

Elle lui adressa un large sourire. Théo acquiesça.

André et Justine ouvrirent le portail du jardin. André se retourna une dernière fois.

— Dites donc, il y a quoi dans le chouchen ?

— Du chouchen, c'est de l'hydromel, tout simplement. C'est donc un mélange de miel et d'eau salée qui macère et se transforme en alcool...

André opina, l'air toutefois dubitatif. Ils y allèrent.

— Et en un peu de magie... ajouta Armel en rigolant dans sa barbe.

André, qui n'avait pas entendu, prit le bras de sa femme en fronçant les sourcils. Il avait déjà bu de l'hydromel et celui-ci n'avait pas vraiment le goût de l'hydromel. Ça, il en était certain. Mais qu'est-ce que c'était que cette sorcière qui les rendait tous si épanouis en si peu de temps ?

Personne ne pouvait se douter qu'Armel achetait son hydromel d'un vieux paysan qui le fabriquait en laissant macérer longuement les rayons de la ruche dans l'eau... et en y abandonnant au passage quelques malheureuses abeilles malencontreusement échouées dans le récipient. Armand ne les en sortait pas et leur venin se dissolvait lentement dans le liquide pour faire tourner les têtes lorsqu'on buvait le divin liquide. Ce fermier était le seul à faire le chouchen encore comme autrefois... et il y avait bien peu d'habitants de Belle-Île qui pouvaient se procurer ses bouteilles. En contrepartie, c'est lui qui fournissait tous les restaurateurs en cidre fermier, un cidre absolument fantastique qu'Armel allait parfois siroter, assise à une des tables de la crêperie Traou Mad. Elle aimait bien les jeunes serveuses, amusantes, folichonnes, motivées qui lui tenaient compagnie. Ça la coupait parfois de sa solitude. Malheureusement, le Traou Mad, comme beaucoup d'autres crêperies de l'île, était fermé l'hiver. De toute façon, Armel aussi était fermée l'hiver. À quoi bon...

Chapitre 8

Il n'y avait pas vraiment de coucher de soleil qui tombait sur l'eau puisqu'il allait se plonger à l'ouest, du côté opposé à l'entrée de la ville, au quai et au phare. Du haut de la citadelle Vauban, on devait le voir. Demain, peut-être qu'ils iraient à l'ouest pour assister à son au revoir, peut-être pas non plus. Pour l'instant, il n'y avait que le moment présent qui comptait. André et Justine étaient assis au pied de l'un des deux phares et regardaient au loin les voiliers qui rentraient au port. Le vent était doux et chaud, mais ce qui l'était encore plus, c'était eux, là, maintenant. Amoureux. Mais comment était-ce possible ? Ou plutôt, comment avaient-ils pu se perdre ainsi en cinq ans, depuis la naissance de leur fils ?

Ils s'embrassèrent, comme lorsqu'ils étaient adolescents, comme au premier jour de leur rencontre. Justine eut des bribris, ces petits chatouillis qui, quand on éprouve du désir, nous chatouillent le bas-ventre. André était à nouveau romantique et la trouvait belle, malgré les quelques rides qui s'étaient ajoutées sur son visage en neuf ans de vie commune, malgré les kilos qui s'étaient accumulés après son accouchement. Il la complimenta sur ses yeux, toujours aussi tendres, sur ce regard sexy et ses lèvres invitantes. Elle était bien. Le vent jouait dans ses cheveux. Elle reposa sa tête sur celle de son conjoint et ils scrutèrent l'horizon sans mot dire, admirant le dernier traversier entrant au port bondé de ces citadins qui venaient trouver la paix. Mais ce silence ne serait pas absolu puisque les cloches à vache des voiliers fendraient l'air du large toute la nuit. Pour l'instant, on percevait nettement le tintement aigu des ustensiles annonçant la préparation des repas tardifs des navigateurs, mais ces sons résonnaient bien à l'oreille de Justine. Elle pensa qu'il devait être bon de ne jamais avoir d'horaire, de pouvoir manger, dormir, vivre au rythme de ses envies. Théophane était tellement moulé sur un modèle que dès qu'il dépassait un tant soit peu l'heure du repas, il devenait turbulent, dès qu'ils le couchaient un peu tard, il se levait tout de même tôt et la journée du lendemain se déroulait dans la tourmente et l'hyperactivité. Non, il ne fallait pas le détourner de ses routines et le stress ne lui allait pas non plus. Mais le fait que les parents ne pouvaient déroger à cette routine les rendait nerveux et ça, le petit le ressentait. Ils n'en sortaient plus. Justine soupira. « Les vacances… » En regardant tous ces gens, adultes comme enfants, s'activer dans les cales et sur les ponts avec tant d'harmonie, elle se mit à penser que vivre à trois dans un voilier, en pleine nature et dans une promiscuité rassurante, c'était peut-être la solution idéale pour eux. Elle secoua la tête et releva les yeux en regardant son mari. À bien y penser, André ne le supporterait pas.

— Arrête de ruminer, Justine. Et profite de la vie.
— J'en profite…

Mais il savait bien qu'elle décrochait difficilement, même si, à l'instant, elle était parfaitement paisible. Elle aurait voulu que le temps s'arrête. Elle se sentait un tantinet coupable de ressentir un si grand bien-être à être séparé de son fils, mais elle se donnait enfin le droit d'être non seulement une mère, mais une femme à part entière. Son mari l'enlaça à nouveau et l'embrassa. Elle se laissa aller et ce baiser, au départ si innocent, se transforma rapidement en étreinte passionnée et remplie de désir.

— Qu'est-ce qu'on fait ? lui demanda-t-il en murmurant.

— Qu'est-ce que tu proposes ? répondit-elle en lui lançant un regard coquin.

Les mains d'André s'aventurèrent sur son corps de femme.

— Est-ce qu'on se dégotte un endroit dans un coin d'ombre pour nous soumettre au péché ?

Justine rigola, mais constata rapidement qu'il était sérieux et de plus en plus insistant. Elle faillit résister, encore une fois comme toutes les autres, mais aujourd'hui, elle eut envie de s'écouter.

— Ok ! dit-elle en le prenant par la main pour le lever en même temps qu'elle.

André, qui s'attendait une fois de plus à un refus systématique, et par la même occasion à être déçu, mit quelques secondes à réagir.

— Allez viens, surenchérit sa femme. J'ai une idée.

Cette réplique l'étonna puisqu'il savait bien que sa femme ne connaissait pas Belle-Île, mais pas du tout…

Chapitre 9

— Je suis un peu comme l'amie des animaux, dit Armel, penchée à la fenêtre qui donnait sur la cour arrière. Je leur parle.

Théophane avait les yeux grands ouverts.

— Comme Dr Dolittle alors ?
— Je sais pas trop qui c'est, mais s'il sait parler aux animaux, oui.
— Trop cool ! envoya Théophane qui regardait voltiger une horde de goélands au-dessus de leurs têtes.

Ils attendaient, comme chaque soir, les restes du repas d'Armel et remerciaient allégrement leur mère nourricière en lui renvoyant des cris à tout rompre.

— Vous êtes intraitable Armel ! Vous allez me faire mourir ! critiqua d'en bas Bili qui, cette fois, avait véritablement l'air contrarié.
— Je vais les ramasser les fientes, vous le savez bien, fit la vieille dame avec nonchalance.
— Voir si ça se ramasse comme ça ! grogna le propriétaire en rentrant dans son appartement et en claquant la porte.
— Qu'est-ce qu'il a à être fâché ? demanda Théophane qui ne comprenait rien du tout. Ce spectacle était pourtant si chouette.
— Tu sais, dit-elle en lançant des bouts de crêpes à ses amis, les êtres humains sont souvent fâchés pour des bêti-

ses. Et lui, encore plus… Je crois que c'est depuis la mort de sa femme.

— Sa femme est morte ?

— Oui, il y a bien longtemps… Et c'est pas une belle histoire pour toi…

— Raconte quand même, fit le garçonnet, toujours excité quand il s'agissait d'histoires un peu sombres.

Il était fasciné.

— Je suis grand maintenant.

Elle hésita quelques secondes, puis lui sourit en lui frottant la tête.

— D'accord.

Elle s'assit sur le rebord de la fenêtre, le prit sur ses genoux et le tint fermement pour ne pas qu'il tombe. Ainsi, il avait pleine vue sur la cour et pouvait tranquillement regarder, sans contrariété, le spectacle des goélands, des mouettes et parfois même des fous de Bassan, qui, finalement pas si fous que ça, délaissaient parfois la mer et leurs nids dans les rochers pour venir se remplir le ventre aux frais de la princesse.

— Amanda qu'elle s'appelait. C'était une très belle femme. Une des plus belles de l'île. Très sportive aussi. Elle adorait se promener sur la côte et en connaissait tous les recoins, accessibles et interdits. Elle était un peu casse-cou, même. Elle avait de beaux cheveux roux courts et des taches de rousseur qui lui donnaient vraiment un air coquin. Un peu comme toi, dit-elle en lui pointant les taches sur le visage.

Le garçonnet rit.

— Et malgré son âge, elle avait toujours l'air d'une enfant. On aurait dit que quand elle marchait, elle sautait, elle rebondissait. Bili disait que c'est parce qu'elle avait les pieds plats.

— Comment ça ?

— Parce que certaines personnes qui ont les pieds plats, paraît-il, marchent un peu comme s'ils avaient des ressorts sous les pieds. C'est plutôt amusant... Mais je suis pas certaine que c'est vrai pour tout le monde.

La voix était enterrée par les cris des mouettes. La vieille dame haussa le ton.

— Or, plus les jours passaient, plus Amanda marchait, plus elle s'aventurait sur les pentes escarpées, dans les grottes, sur les falaises. Toujours aussi gamine, elle ne craignait rien.

Elle regarda le petit, qui en fit autant, et lui dit, d'un ton grave, mais plus bas :

— Et c'est ce qui la perdit... Elle ne suivit pas les conseils des sages...

— Comme le Cavalier noir alors ?

Armel, dérangée par les hurlements de ses copains ailés, fronça les sourcils, regarda dehors et se mit à piailler sans réserve. Elle était drôle à voir à s'émoustiller en prenant cette petite voix pleine d'énergie qui sortait avec force de son corps si frêle. Instantanément, mouettes, goélands et fous de Bassan confondus se turent. C'était étrange. Après ce tintamarre qui ne cessait depuis le coucher du soleil, d'un seul coup, comme si c'était l'apocalypse, plus rien. On aurait dit qu'une bombe s'était abattue sur ces oiseaux qui regardaient en direction du logement d'Armel, ici perchés sur un arbre, là dans le jardin, encore ici sur la clôture, tous le bec cloué. Théo, impressionné, attendit quelques instants avant de réagir :

— Alors c'est vrai ? Tu leur parles vraiment ? Avec leur vrai langage et tout ?

— Ben oui ! Qu'est-ce que tu crois ? Que je suis une menteuse ?… répondit-elle en jouant l'offusquée. Quand je dis quelque chose, c'est parce que c'est vrai… Je t'ai dit que je parlais aux animaux, eh bien, je leur parle, point final.

Théophane songea soudain aux sorciers de l'île. Tout ça était donc vrai, ce n'était pas des blagues ou des histoires pour l'impressionner. Il était vraiment subjugué. La bouche ouverte, il écouta Armel poursuivre son histoire.

— Donc un jour, Amanda disparut. Bili et des amis entreprirent des recherches partout dans l'île pendant des jours et des jours, tous s'y mirent, mais rien. Aucune trace de sa femme… Ce jour-là, une partie de Bili mourut tant il fut dévasté par la tristesse.

— Personne l'a jamais revue ? Ni trouvé son corps ?

Grimaçante, Armel le descendit de sur elle, se soulageant de ce poids sur ses jambes endolories, et se rendit au salon.

— Des touristes disent l'avoir vue dans la grotte de l'Apothicairerie puis, plus rien. Elle n'en est jamais revenue.

— Est-ce qu'on pourrait aller voir ? Peut-être qu'on la trouverait, nous ?

Il s'avança dans le salon à son tour et grimpa sur l'accoudoir du fauteuil, tout juste à côté d'Armel qui venait de s'y asseoir.

— Bili y est allé plusieurs fois, que penses-tu, et à ses risques et périls ! Mais tu sais mon grand, la grotte est fermée aujourd'hui. Des gens téméraires et insouciants, qui ne percevaient pas le danger, s'y aventuraient à la marée montante et ne pouvaient pas en sortir. Ils mouraient noyés.

— Pourquoi ils nageaient pas ?

La vieille dame soupira et lui frotta la tête.

— Les vagues sont belles à Belle-Île, mais parfois un peu fortes et traîtres…

Chapitre 10

Jamais ils n'avaient fait l'amour à flanc de falaise et le spectacle était mirifique. Ils avaient enfourché deux vélos empruntés à l'hôtel et roulé en vitesse jusqu'à la Pointe de Taillefer, là où le soleil couchant mordait l'eau et que les mouettes et les goélands, tous ensemble, célébraient l'événement à grands coups de couacs, de onks et de inks. C'est comme si, chassés de chez la vieille dame, ils venaient célébrer ici le renouveau d'un amour oublié. La boule rouge du soleil endormi s'évanouissait dans l'eau, abandonnant derrière elle son souvenir. Ils étaient seuls dans la lande qu'ils avaient rapidement parcourue avant de trouver un rocher où ils purent s'unir tout en caresses et en tendresse. Amoureux jusqu'au bout des doigts, Justine et André n'allaient jamais oublier ce moment. Il redécouvrait sa peau, elle redécouvrait sa douceur. Et ils savourèrent le moment comme si c'était le tout premier... et le dernier.

Chapitre 11

Ce matin-là volait dans l'air une légèreté peu commune. Justine portait une jolie robe soleil rouge et blanche, courte et sans manche, qui galbait sa poitrine. Elle avait remonté ses cheveux en chignon en faisant tenir les mèches rebelles par des pinces rouges au motif de fleurs. Le petit Théophane, qui était toujours délicat pour ce genre de choses, ne manqua pas de le remarquer :

— Ce que tu es belle maman et ce que tu sens bon !

Elle avait choisi un parfum de lavande pour son voyage, une essence fraîche et légère pour les circonstances.

— Merci chéri, dit-elle en affichant un sourire radieux. Son visage était détendu, ses yeux pétillants. Elle avait encore l'air d'une gamine… ou peut-être ce matin d'une femme qui avait retrouvé toute son innocence.

Le plus merveilleux dans l'histoire, c'est que Théophane, lui, n'avait pas changé d'un brin : il avait beau faire des pitreries, on ne lui reprochait rien, en fait à peine une légère réprimande pour la forme. Rien ne pouvait interférer avec les regards électriques et les sourires entendus qu'André et Justine s'adressaient. Même Bili, qui leur servait leur café dans le jardin, osa à peine leur dire bonjour, de crainte de les déranger. Justine passa sa commande :

— Deux croissants beurre, s'il vous plaît.

— Une baguette confiture, ajouta André.

— Et pour le petit ? s'enquit le serveur avec inquiétude.

— J'ai son petit-déjeuner, rassura sa maman en sortant deux tranches de pain de son sac.

Quelle tristesse, pensa le propriétaire, un franchouillard bien chauvin qui ne pouvait concevoir le bonheur qu'avec des aliments bien de chez lui : baguette, fromage, vin, charcuterie, croissants, café serré ou chocolat au lait, selon… Il avait les mêmes craintes que sa locataire : comment ce petit allait-il pouvoir être heureux s'il ne connaissait jamais le pain baguette ? Le vrai ? Ou le croissant bien craquant ? Oh oui, en ça, il pensait comme Armel.

Il hocha la tête en se disant qu'après tout, ce qu'on ne connaissait pas ne pouvait nous manquer, et laissa ses hôtes après avoir déposé les couverts. Mais Armel avait prévu beaucoup mieux et n'allait pas les laisser se contenter de si peu, en tout cas, pas pour Théophane. Aussi, dans le plus grand secret lui avait-elle concocté une préparation de crêpes, toujours sans blé, qu'elle farcirait de chocolat, crème chantilly, bananes, fraises, amandes et même de glace, pourquoi pas ? Théo lui sauta au cou en la serrant très fort.

— Merci Armel !

Il se détacha d'elle et s'empressa de demander :

— Je sais les faire maintenant, dit-il, je sais les faire ! Est-ce que je peux ?

— Bien sûr, chef, acquiesça la vieille dame, et je compte bien sur ton aide ce matin, ajouta-t-elle.

C'est comme ça qu'ensemble, pareillement à la veille, ils préparèrent fièrement les crêpes qui allaient constituer pour Théophane et Armel le premier repas de la journée... et au rythme auquel ils allaient, il n'allait pas y avoir d'autres repas tant ils seraient repus ! Les crêpes défilaient les unes après les autres dans les estomacs, si bien que même après le pain et les croissants, les parents s'en enfilèrent quelques-unes avec autant d'appétit que s'ils n'avaient rien dans le corps. La gourmandise n'avait plus de limite. Armel avait vraiment des doigts de fée.

— Mais qu'est-ce que c'est encore que ça ? tonna Bili, de retour des cuisines. Depuis quand fait-on des crêpes au petit-déjeuner ?
— Depuis qu'Armel l'a dit, lança Théo et sans son ton d'innocence, cette réplique aurait bien passé pour de l'insolence.

Le sexagénaire haussa les épaules et soupira. Alors qu'il s'en allait, sentant qu'il avait perdu tout le contrôle, Armel lui lança :

— Je laverai tout, rien n'y paraîtra, c'est certain.

Il l'avait déjà entendu celle-là. Il claqua la porte.

De toute façon, il faisait beau et elle savait qu'elle aurait tout son temps pour frotter, qu'elle n'irait pas bien loin, que tout le monde serait à la plage et qu'elle devrait encore aujourd'hui attendre que la journée passe. Vivement le soir, le dîner et les retrouvailles !

— Quels sont vos plans pour la journée ? demanda-t-elle en se joignant à eux à la table d'à côté.
— Venez vous asseoir avec nous, la pria Justine, la bouche pleine.

Le soleil était déjà bon ce matin et la bonne humeur bien installée.

— Oui, oui, allez insista André.

Armel fut étonnée au départ, puis finalement, pas tant que ça. La soirée d'hier les avait transformés. Elle avait dû déployer moins d'efforts qu'elle ne l'aurait cru pour les débloquer, et ça semblait bien parti.

Théo eut du mal à demeurer en place pour le repas. Minet tournoyait sans cesse autour de lui, comme s'il prenait sa revanche, l'air de dire : « Gna, gna, tu peux pas sortir-e, la, la, lè-re. » Il se frottait sur les pattes des chaises et disparaissait sous la table, pour réapparaître un tantinet plus tard en recommençant le même cirque. Le gamin résista. Il y avait encore plus intéressant dans son assiette : sa crêpe au chocolat.

Chapitre 12

Installée à la fenêtre qui donnait sur sa rue, Armel regardait les nouveaux arrivants envahir les appartements d'en face, les hôtels et la Place de la République, que plusieurs appelaient Place du marché. Les campings devaient être pleins à l'heure qu'il était. Elle soupira, puis ferma les volets. Pas question qu'elle se laisse emporter par une nouvelle vague de nostalgie. Tout juste avant de les clore totalement, elle le vit passer, encore et encore, plus abattu que d'habitude. Les cheveux crasseux, il semblait tituber et ses vêtements tombaient littéralement en lambeaux. Comble du comble, il était pieds nus. Cette fois, elle ferma rapidement les volets, puis tira les rideaux en s'accotant de dos à la fenêtre. Son cœur se serra. Elle ne voulait pas pleurer. Pas cette fois. Elle se mordit l'intérieur des joues et repartit dans la cuisine. Faire un ragoût de poisson au cidre était encore ce qu'elle pouvait préparer de mieux aujourd'hui… Et ça sentirait tellement bon ; merveilleux appât.

Chapitre 13

— Je l'ai vu, Madame Armel. Je l'ai vu !

Théophane était excité comme une puce. Derrière lui, sa mère souriait tendrement en levant les yeux au ciel au moment où André entrait à son tour dans l'immeuble.

— Mais de quoi parles-tu donc mon garçon ? demanda la vieille dame.

— J'ai vu le Cavalier noir ! Il était dans le trou !

— Vous êtes allés à la plage de Kerel ? Tu t'es approché du trou ? dit-elle en fronçant les sourcils.

— Oh oui, mais pas trop… juste assez pour voir que c'est vrai ! J'ai vu son ombre. J'ai vu le cheval et au fond, une ombre. Je suis certain que c'était le Cavalier noir !

— T'as surtout vu des étoiles de mer, ajouta Justine en levant son sac de plage rempli de ces fragiles échinodermes.

Le petit sautillait et s'agrippait au bras de sa maman.

— Allez, montre-lui. Montre-lui, maman !

— Calme-toi, coco.

Justine ouvrit le sac et Armel s'avança pour y jeter un coup d'œil. Cinq, six étoiles de mer y avaient échoué.

— Eh ben dis donc, la pêche a été bonne !

— Ouais, répondit fièrement le môme.

Il ne savait pas trop ce qu'il allait en faire, ni que ça allait probablement s'effriter une fois qu'elles seraient desséchées et qu'il allait les prendre, mais l'important, c'est qu'il était vraiment content de ce qu'il avait amassé.

— Voulez-vous un apéro ? s'empressa de demander Armel.

— Oui ! s'exclama Théo, emballé. Et je veux dîner ici aussi !

Armel sourit, heureuse. Justine était mal à l'aise.

— C'est que… on… on voudrait peut-être manger seuls ce soir. La vieille dame ravala, mais elle comprenait. L'odeur de son ragoût de poisson n'avait pas eu l'effet enchanteur désiré. Et pourtant, s'ils l'avaient goûté, ils en auraient repris et repris et repris encore.

— On part demain. On a loué un terrain de camping justement dans le village de Kerel, pas loin de la plage, expliqua Justine qui n'avait pas remarqué que son fils venait de s'éloigner. Vous comprenez, l'hôtel, c'est trop cher à la longue…

— Bien sûr, acquiesça tristement Armel.

Le vague à l'âme, elle se ressaisit. Elle allait recommencer l'opération de séduction demain et c'est tout. Elle ne devait pas se laisser abattre, même si elle savait qu'avec le prix que Bili faisait à ses hôtes, il était impossible qu'ils restent très longtemps. C'est à croire qu'il n'en voulait pas vraiment de ses locataires ! En tout cas, il ne faisait rien, non seulement pour les attirer, mais pour les garder. André traversa le couloir, entra dans leur chambre et ferma la porte.

Dans le salon d'Armel, tapi dans un coin, un petit bout d'homme préparait sa tempête, presque aussi forte que pouvaient l'être celles qui déferlaient souvent à Belle-Île.

— Tu viens ? demanda candidement sa mère qui, c'était visible, craignait le pire. Elle tendit sa main.
— NON ! JE VEUX PAS VENIR ! JE VEUX RES-TER AVEC ARMEL ! Je veux rester ici !
— Tu ne vas pas recommencer, fit Justine qui connaissait ses cirques et voulait éviter d'avoir à subir une autre crise.

Elle s'approcha de lui, les épaules tombantes, découragée.

— Allez, viens, s'il te plaît, pas de comédie, pas cette fois.

Mais au moment où elle tenta de lui saisir le bras pour le tirer vers elle, il se débattit et s'enragea si fort qu'Armel en demeura estomaquée.

— NON, LAISSE-MOI ! LAISSE-MOI !, hurla-t-il presque avec de l'écume au bord des lèvres.

Justine, désespérée, serra sa main autour de son bras pour le ramener fermement à elle et l'empêcher de gesticuler.

— TU VEUX ME TUER, C'EST ÇA ? TU VEUX ME TUER ?

Comment une si petite contrariété avait-elle engendré une si grande panique chez un être si délicat ? Oui, Armel était bouche bée, mais pas à court d'idées. Aussi, quand Justine tenta de prendre son fils dans ses bras et que celui-ci se débattit comme un beau diable, quand il lui donna des coups dans les chevilles, sur les tibias et dans le ventre, qu'il cria à fendre l'âme et que sa mère grimaça, Armel, aussi chétive soit-elle, se porta à son secours. Ça ne pouvait plus durer.

— Appelez mon mari, s'il vous plaît, implora la maman, le visage contracté et rougi par le désarroi, l'épuisement et la honte.

Armel n'en fit rien. Elle s'approcha plutôt en posant ses deux mains sur les épaules grouillantes du petit, deux mains douces et fermes. Il gigotait dans tous les sens comme s'il était possédé.

— Chutt… fit la vieille dame, chuttt… Théo, regarde-moi Théo, regarde-moi.

Sa voix était presque enchanteresse, envoûtante, mais malgré tout, elle ne parvint pas à accrocher son regard. Il était littéralement déchaîné.

— Vous n'y arriverez pas, fit sa mère, fataliste. Le seul moyen qu'on a trouvé pour le calmer, c'est de l'enfermer.

Armel ne porta pas attention à cette réplique et poursuivit son travail.

— Théo, regarde-moi. Regarde-moi.

Nenni. Ses yeux étaient dans le vague. Ils n'étaient plus arrimés à la réalité. Elle haussa le ton :

— Théo, combien font 3 plus 6 ?

Le petit la regarda furtivement et continua de se débattre en hurlant. Elle répéta encore plus fort en posant cette fois ses mains sur sa tête, « permettant un transfert d'énergie », comme elle se plaisait tant à le dire :

— Comment font 3 et 6 ?

Ses petits doigts se mirent à bouger et ses lèvres balbutièrent un calcul. Il tenta une réponse en croisant les yeux de la vieille dame :

— 9 ?
— Ok, très bien. 9 + 3.

Il remit ça : il calcula sur ses doigts, renifla un bon coup, puis envoya sa réponse.

— 12 ?
— Excellent ! encouragea-t-elle.

En attendant, sa crise de rage était terminée et les sanglots se tarissaient tranquillement. Justine était médusée. Quelques additions supplémentaires et Théo s'approcha d'Armel puis se pelotonna dans ses bras. Justine eut le cœur gros. Pourquoi elle, elle n'y arrivait pas ? Pourquoi elle n'y arrivait jamais ? Ses yeux s'emplirent de larmes. Elle s'affala sur une chaise de la cuisine. Voyant sa tristesse, Armel intervint :

— Cette fois, il n'y a rien de magique. Vous pouvez y arriver vous aussi. Vous avez vu les yeux de votre enfant quand il est en crise... Ils ne sont plus là. Il est ailleurs. Ce qu'il faut, c'est lui permettre de revenir avec vous.
— Si vous pensez que j'ai pas essayé !
— Le secret, c'est de faire en sorte que, sans qu'il s'en rende compte, il porte son attention sur autre chose que

son objet de frustration, de faire travailler la raison et de laisser les émotions pures et brutes perdre de leur puissance… Le rationnel, faire revenir le rationnel.

Elle s'avança vers Justine, s'assit devant elle et lui prit la main, abandonnant l'enfant à lui-même, dans le salon. Mais lui n'était pas triste. Il avait totalement oublié les raisons pour lesquelles il avait fait une crise et même s'il s'en était souvenu, la charge émotive qui venait avec la surprise était maintenant passée.

Il s'essuya le nez.

— Un enfant de cet âge n'est pas toujours capable de comprendre et de contrôler ses émotions. Le seul moyen d'arriver à lui faire entendre raison, dans le sens pur du terme, c'est de travailler sa raison.

Et c'est ce qu'elle venait de faire.

Justine ne disait pas un mot, profondément troublée de ne jamais arriver à contrôler celui à qui elle avait pourtant donné la vie. C'était dans les mains d'une pure inconnue qu'il venait de connaître le calme. Il lui arrivait si souvent de se sentir incompétente avec lui qu'elle avait le sentiment qu'elle n'aurait jamais dû avoir d'enfant, que si Théo était comme il était, c'était entièrement de sa faute, parce qu'elle n'avait pas le don. Peut-être aurait-elle dû être stérile, elle qui avait si longtemps désiré cet enfant ? Quatre ans qu'ils avaient essayé. Quatre ans. Peut-être était-ce un signe du ciel ?

Armel sentait qu'elle broyait du noir.

— Théo, vas voir maman. Je vais faire le noir dans l'appartement, mais tu ne dois pas avoir peur. Je vais te montrer quelque chose de fabuleux.

Elle quitta donc Justine, ferma tous les volets et éteignit les chandelles. Apeuré par le noir, Théo lui prit la main et la suivit plutôt que de se rendre jusqu'à sa mère. La vieille dame alluma une mini lampe de poche qu'elle dégota dans son tablier blanc.

— Qu'est-ce que tu fais ? demanda-t-il.

Armel le mena dans la cuisine en éclairant leurs pas.

— Je vais te montrer ce que je fais quand je suis vraiment très triste ou très en colère…

Le petit renifla et s'essuya à nouveau le nez du revers de la main, puis avec le col de son tee-shirt.

— Prends un papier-mouchoir, dit Justine en s'approchant à tâtons du nez de son fils. Mais il détestait se moucher. Aussi, la repoussa-t-il d'un geste sec et violent.

La maman recula d'un pas, encore une fois rejetée… Pourquoi lui semblait-il que tout le monde avait le chic avec les enfants, sauf elle ? En y pensant bien pourtant, elle devait être honnête et avouer que peu de gens savaient vraiment comment s'y prendre avec Théo. Il était difficile, voilà tout.

La vieille dame dégagea la table de sa cuisine des ustensiles de cuisson et du bol de fruits qui la recouvraient, retira la nappe et éclaira devant elle. Théophane ouvrit

grand les yeux. Sous cette nappe, dans la table même, nageaient une dizaine de poissons très étranges.

— Un aquarium !

Armel avait un aquarium, surplombé de quatre pattes,
en guise de table.

— Tu vois, ce sont des poissons de mer qui vivent en
profondeur, loin de la lumière. Ce sont des espèces très
rares et c'est un ami à moi, un pêcheur, qui me les a offerts. Ils sont magiques. Quand plus rien ne va, je ferme
les volets, tire les rideaux, j'ôte ma nappe, je m'assois
devant eux et je leur parle.

Justine la regardait incrédule et pourtant avec de la tendresse dans le regard.

— Soudainement, comme par enchantement, mes tracas
et mes soucis s'envolent et les choses se mettent à changer. Je crois que les poissons les engloutissent dans l'eau.
C'est assez merveilleux, ne trouves-tu pas ?

Le petit regardait ses minimonstres marins avec leur
moustache et leur forme bizarroïde et demeura ébahi.

— Est-ce qu'ils ont des noms ?
— Bien sûr, dit Armel en se penchant pour mettre ses
yeux au niveau de l'aquarium, de l'autre côté de ceux du
petit. Tu vois, celui qui est noir, plat avec des pics sur la
tête, je l'appelle Calmos parce qu'il est un peu pépère,
toujours mou. Quand je cogne dans la vitre, il s'approche
de moi, ouvre la bouche et me regarde avec des yeux de
merlan frit.

Le petit rigola.

— Je m'installe alors en tailleur, je prends de grandes respirations en gonflant mon ventre, je le regarde et je me dis que je suis calme, comme lui, très calme, de plus en plus calme… Et ça marche !

— Et lui ? demanda Théo en pointant un poisson presque invisible et si mince qu'on le confondait avec l'eau. Seules ses nageoires et ses yeux bleu pâle permettaient de le déceler.

— Lui, il s'appelle Courageus.

— Pourquoi ?

— Parce que c'est un poisson qui se fait toujours bousculer. Comme les autres poissons ne le voient pas bien, ils lui rentrent dedans et le projettent souvent contre la vitre de l'aquarium. Courageus coule, mais remonte à la surface… toujours. Je le trouve très courageux.

Et elle expliqua comment ce poisson l'aidait à trouver du courage, alors qu'un autre savait la guérir quand elle se sentait malade, qu'encore un la portait à se remuer quand elle se sentait faiblir, qu'un autre lui donnait des idées de bons repas et enfin qu'un dernier la faisait rire lorsqu'elle avait envie de pleurer. Avec ses histoires abracadabrantes, elle avait réussi à retenir l'attention de ce gamin si agité, au plus grand étonnement de sa mère qui se disait qu'il fallait bien une dame âgée pleine de sagesse pour venir à bout de son gamin totalement incontrôlable.

Mais comme toute bonne chose a une fin, bientôt, ils durent la quitter.

— Tu essaieras des respirations comme ça quand ça va mal : quand tu es triste, que tu es fâché ou que tu as peur, tu répètes que ça va bien en prenant de grandes respirations et tu imagines mes poissons. Tu vas voir, ça marche !

lui lâcha Armel, en lui disant au revoir sur le pas de la porte.

Théophane accepta l'idée et l'appliqua quasi instantanément alors que dans sa gorge montait la peine à l'idée d'être séparé de la vieille dame. Ils se firent un bon câlin.

— Je veux pas, je veux pas, fit le gamin, ému.

Sa mère attendait déjà de partir dans la cage d'escalier.

— Tu reviendras, va. Moi, je ne bouge pas, dit Armel en le serrant fort et en lui tapotant une dernière fois la tête.

Ils partirent, elle ferma la porte et tourna la page. Une autre. Mais elle semblait à chaque fois de plus en plus difficile à tourner. Peut-être était-ce l'âge…

Chapitre 14

Le soir, elle quitta son appartement et alla distribuer son ragoût aux nécessiteux de l'île qui l'attendaient toujours avec le même espoir. Et puis, il y avait les oiseaux qui s'en réjouissaient et qui la trouvaient décidément excellente cuisinière.

Elle n'avait rien mangé, pas même goûté. Mais de voir ses six, sept fidèles amis venus avec leur gamelle recueillir leur dû, ça lui faisait du bien au cœur.

Elle retourna chez elle, ne parla pas aux mouettes qui, de toute façon, étaient plutôt silencieuses ce soir, et verrouilla ses volets, malgré le jour qui n'avait pas encore disparu. Elle alluma une chandelle, se regarda dans le miroir au-dessus de sa commode et se trouva vieille. Elle avait l'impression que ses yeux bruns se perdaient dans son maigre visage de plus en plus ridé, que ses cheveux gris étaient de moins en moins épais, que l'énergie et le courage lui manquaient progressivement. Elle ne voulait pas de cette enveloppe corporelle qui n'allait pas avec sa jeunesse d'esprit. Elle souffla la bougie.

Chapitre 15

C'était une nouvelle journée pleine de promesses. Le ciel était au gris, mais encore et toujours, ce n'était pas un gage du temps qu'il allait faire aujourd'hui. Qui l'emporterait ? Le soleil ou la pluie ? La chaleur ou la tempête ? Elle devrait le demander à Pol. Pol saurait.

Avec son panier sous son bras, elle avançait vers le marché et déjà les touristes, à peine sortis du bateau, avaient envahi la ville. Armel avait chassé son vague à l'âme et repris sa bonne humeur. Chaque départ était pour elle un deuil, mais elle se disait que ça signifiait aussi une nouvelle arrivée. Elle sentait qu'elle aurait de la chance. Aussi, elle décida de cuisiner de l'agneau, une grosse chaudronnée d'agneau.

— Et pour combien de personnes, ma petite dame ? demanda Jacques, le boucher.

Armel réfléchit.

— Je crois que nous serons deux.
— Je vous donne un petit gigot, alors ?
— Vous me connaissez, rien ne se perd. Donnez-m'en un gros. On ne sait jamais…

Jacques sourit en s'exécutant. Tout le monde ici avait goûté à la générosité légendaire d'Armel, mais le plus étrange, c'est qu'elle était malgré tout toujours seule. Elle connaissait beaucoup de monde, mais personne vraiment.

Comme si elle était un personnage mythique, une entité. De toute façon, elle trouvait les vieux trop vieux et les jeunes en général trop rapides.

Le marché sentait bon. La boulangerie aussi. Et si elle se faisait un petit far aux pruneaux aujourd'hui ? Elle soupira. Elle en avait assez de le manger seule. Ça parlait fort autour d'elle et tout tourbillonnait. Elle voyait des valises, des sacs à dos, des paniers de paille passer à ses côtés, entendait les klaxons des taxis, le vrombissement des voitures et le coup de sifflet de départ du Vindilis.

Une jeune femme d'environ vingt-cinq ans vint s'installer à ses côtés. Sac à dos en main, casque de vélo sous le bras, elle avait revêtu un cuissard, prête à affronter les pentes escarpées de Belle-Île. « Cette petite a une belle âme » pensa Armel. Ça se voyait, ça se sentait. « Partiellement triste, mais ça va rapidement passer parce qu'elle saura rebondir. » Armel la regarda en souriant. La jeune femme, se sentant observée, répondit franchement à son sourire. La vieille dame la trouvait mignonne, pas chétive comme ces filles actuelles qui jouent avec leur corps comme un yoyo, pas non plus comme celles qui s'engraissent aux confiseries et à la restauration rapide. Elle était bien en chair parce qu'elle était faite comme ça et qu'elle ne pourrait jamais être autrement. De toute façon, c'est comme ça qu'elle était belle. Elle avait des cheveux noirs, mi-longs et frisés, de beaux grands yeux entourés de longs cils tout prêts à accueillir l'amour, un nez rond, mignon et des lèvres tout ce qu'il faut pour être invitantes. Elle dégageait la bonté et la générosité, c'était évident et pas seulement pour Armel, qui trouva soudain son boucher bien attentionné. Il roucoulait devant l'inconnue à qui il demandait, avec un débit beaucoup plus rapide que la normale :

— Vous débarquez tout juste du bateau ? Vous allez passer vos vacances sur l'île ? Vous allez faire du vélo ?

Questions auxquelles la jeune arrivante répondit trois fois « oui » avec la plus grande gentillesse. Elle n'était pas dupe ; elle savait bien qu'il lui faisait la cour. Et pourtant, malgré l'apparente beauté de Jacques qui faisait l'envie des filles de l'île, celle-ci n'était pas réceptive. Elle gardait ses distances. « Il va falloir creuser, mais c'est évident, il y a quelque chose de triste en elle, pensa Armel. Sûrement un événement récent qui l'a menée à vouloir se ressourcer sur l'île. » La jeune fille commanda des saucisses. Trois.

— Vous semblez être bien entraînée, commenta Armel en faisant allusion au corps musclé de la jeune fille. Il le faudra parce qu'ici, les côtes et les vallons ne vous donnent pas beaucoup de répit.

Sandrine sourit. Elle aimait bien l'accent vieillot de cette dame fragile à l'air sympathique.

— Vous connaissez bien l'île ? demanda-t-elle, en attrapant les saucisses que lui remettait le boucher alors que son assistant ficelait l'agneau d'Armel.
— J'y suis née… et j'y vis depuis quatre-vingt-douze ans.
— Quatre-vingt-douze ans ? ! Félicitations ! s'exclama la jeune fille en toute franchise tout en enfouissant son paquet dans son sac à dos.
— Et vous allez où comme ça ?
— Je sais pas… J'ai ma tente. Je suis donc libre d'aller où je veux. Avez-vous des endroits à me suggérer ?
— Tout dépend de ce que vous voulez y trouver.
— Je sais pas, dit Sandrine, qui sourit en entendant cette drôle d'affirmation. Des plages, des endroits tranquilles.

— Bien sûr, ça je le sais... fit Armel, d'un air entendu. Tout le monde vient chercher ça à Belle-Île. Mais je veux dire, dans le fond de vous, que venez-vous chercher, vraiment ?

La jeune fille dévisagea la vieille dame quelques secondes. Mais qui était-elle ? Étrange, mais affable, vieille, mais jeune, elle avait un regard pénétrant qui semblait lire les pensées ou plutôt les cœurs. Jacques emballait et réemballait la viande d'Armel dans du papier brun, mais il y avait bien longtemps qu'il aurait pu la lui remettre. Il écoutait la conversation, l'air de rien. Les yeux de Sandrine partirent dans le vague et s'emplirent de larmes. Elle baissa la tête. Jacques, qui sentit le malaise, remit subitement l'agneau à Armel.

— Bon, je vais y aller. Je vous remercie, dit-elle encore, en s'adressant à Jacques tout en conservant la tête baissée pour ne pas le regarder.

Elle releva la béquille de son vélo.

— Bonne journée, termina-t-elle en s'adressant cette fois à Armel.
— Vous ne voulez pas venir prendre une limonade, un café, un thé à la maison ? s'empressa de demander celle-ci.
— Vous êtes bien gentille, mais il faut que j'y aille.
— Vous ne pouvez pas partir comme ça...
— Comment ? dit Sandrine intriguée en enfourchant son vélo.
— Bien... comme ça, fit Armel en faisant un mouvement circulaire avec sa main sur son cœur, comme pour montrer qu'il était brouillé.
— Merci. Je vais très bien.

Elle sourit, se voulant rassurante. Mais Armel n'était pas dupe.

— J'habite juste ici, fit-elle en pointant l'immeuble jaune dans la rue. Si vous changez d'idée, passez me voir. Je suis presque toujours chez moi ou aux alentours.
— Vous êtes vraiment très gentille, dit encore Sandrine en tendant sa main pour serrer celle de la vieille dame qui lui rendit son geste.

Armel appliqua sa main gauche sur celle de Sandrine qui apprécia sa chaleur. Après quelques secondes, elle se détacha délicatement et ajusta son casque de vélo sur sa tête. Armel la salua une dernière fois, lui tourna le dos, le cœur gros, pour rentrer chez elle.

Ses articulations étaient vraiment douloureuses aujourd'hui. Il allait pleuvoir. Elle regarda le ciel et le mouvement des goélands qui valsaient au-dessus des corniches. « Oh oui, il va pleuvoir aujourd'hui… et je dormirai. » Comme ses amis les oiseaux. Quand on la regardait, on se demandait d'ailleurs ce qu'elle était exactement : était-elle humaine ou n'avait-elle pas, au fil des années passées seule, adopté des comportements animaliers ? Les gens en parlaient au village, mais il y avait bien longtemps qu'elle ne les écoutait plus. Depuis le temps, ils avaient trop parlé et souvent, ça avait fait beaucoup de mal. Trop de mal…

Elle déverrouilla la serrure, geste qu'elle avait de plus en plus de difficulté à faire avec ses doigts endoloris, assaillis par l'arthrite, puis ouvrit la porte qui grinça tellement que les mouettes répondirent au cri, croyant qu'Armel venait de leur adresser la parole.

— Mais non, rigolos ! C'est pas comme ça que je parle, moi ! Qu'est-ce que c'est que cette idée... Franchement, marmonna-t-elle encore en entrant dans le vestibule. Mais quand donc Bili se décidera-t-il à la huiler ? Dans la semaine des quatre jeudis sûrement, comme le reste.

Mais avant qu'elle ferme la porte derrière elle, une douce voix l'interpella :

— Pardon...

Armel se retourna lentement.

— Finalement, je vais accepter votre invitation et me reposer un peu avant de partir, dit Sandrine en enlevant son casque. J'ai pas beaucoup dormi cette nuit et j'ai peur de m'épuiser avant même de commencer mon excursion.

Armel était ravie et soudainement, elle n'avait plus besoin de dormir. Sa fatigue s'était envolée. Plus que jamais, elle avait envie de parler et d'écouter. Et dans le ciel toujours, se formaient des nuages de plus en plus gris. Avec un peu de chance, elle pourrait garder la jeune fille avec elle toute la journée !

Chapitre 16

— C'est mignon chez vous, constata Sandrine, la bouche pleine de far aux pruneaux. Et c'est vraiment délicieux ce truc !

Armel, c'était LA spécialiste des fars. Si elle avait tenu une boulangerie, elle aurait remporté tous les prix, c'est certain. Elle avait une dent sucrée et savait que c'était le cas de la majorité des gens. Elle savait donc comment les prendre par le ventre.

Elles n'avaient pas encore commencé à échanger, mais elles en auraient bien le temps. Dehors, la pluie faisait résonner sa musique sur les volets alors qu'au loin, les orages grondaient doucement.

— Je n'ai jamais vu de tempêtes sur le bord de la mer. On m'a dit que quand ça déferlait, c'était assez impressionnant.
— À Belle-Île surtout.
— Ah oui ? Pourquoi à Belle-Île plus qu'ailleurs ?
— Je le sais pas. À cause de la nature de l'île. De l'emplacement de ses rochers, de ses falaises. Des courants qu'il y a dans l'eau. À Belle-Île, tout est différent.
— Est-ce qu'on pourrait aller sur le quai, pour voir ?
— Oh non ! Beaucoup trop dangereux, dit Armel en refermant sa veste sur elle et en serrant les bras. La foudre pourrait te pétrifier… Le meilleur endroit où se trouver en cas de tempête, c'est ici, bien à l'intérieur.
…

— Allez viens, lui dit-elle en lui tendant la main.

Sandrine, amusée, décida de la suivre en croisant ses doigts dans les siens. Elle s'essuya la bouche. Elle aimait bien cette vieille dame petite, chétive, semblant si bonne et si généreuse. Elle avançait à petits pas et ça la faisait rigoler. Elle était mignonne tout plein et elle avait juste envie de la serrer très fort dans ses bras comme on étreint une poupée de chiffon qu'on adore, à la fois pour la rassurer et pour lui montrer à quel point on la trouve craquante. Sandrine se sentit soudainement euphorique. Elle découvrait un décor nouveau, une nouvelle personne et ça lui faisait du bien. Ici, c'était réconfortant. Les énergies étaient bonnes.

Les deux femmes montèrent les marches, trois paliers en tout, qui craquèrent sous leurs pas. N'importe quelle vieille dame aurait été essoufflée, mais pas Armel. L'immeuble sentait l'humidité et le bois vieilli. De chaque côté de l'escalier, à sa droite, à sa gauche, Sandrine découvrait des portes mystérieuses. Était-ce des placards ? Des appartements pour les locataires ? Des débarras ?

Tout en haut, Armel s'arrêta devant l'une d'elles, sortit un trousseau de clés et l'agita fébrilement pour dégoter la plus grosse d'entre toutes. Elle l'entra dans le trou de la serrure et ouvrit la porte, qui grinça elle aussi. Sandrine demeura sur le palier pour laisser Armel avancer à pas feutrés dans cette pièce plongée dans la plus grande obscurité. Elle tâta le mur à droite, trouva l'interrupteur et l'activa. Sandrine découvrit des centaines d'objets épars, tous plus originaux les uns que les autres. Elle entra. Il y avait de la poterie, des filets de pêcheurs, des assiettes de porcelaine, des poupées de chiffon, des jeux de plage, de vieux vêtements accrochés sur des portemanteaux encore plus obsolètes, des articles de rénovation, des pièces de voiture, de vélo, des jeux de société pour enfants et des centaines de livres. Bref, il y avait de quoi passer ici des heures à découvrir.

Armel enjamba de nombreux objets pour se rendre à l'une des lucarnes qui donnaient à l'est. Sandrine la suivit, curieuse. Elle savourait. La vieille dame poussa sur le cadre de la fenêtre en tentant de la faire céder et de laisser le jour pénétrer. En vain.

— Laissez-moi faire, dit la jeune fille.

Elle s'avança en prenant la place d'Armel et d'un coup solide, ouvrit la lucarne. Un seul coup.

— C'est que t'es forte, petite !
— C'est un avantage d'être costaude, au moins ça de pris !

Une bouffée d'air salin les rafraîchit instantanément. La vue était imprenable. D'ici, la nature se révélait à elles. Elles voyaient au loin la mer s'agiter, les touristes courir sur le quai pour éviter d'être trempés par la pluie de plus en plus insistante et le phare toujours aussi solide qui attendait que le temps passe année après année. Toutefois, avec la brume, elles ne pouvaient que deviner la côte de Quiberon en face, sans la voir. L'horizon était bouché et pourtant, Sandrine était ravie. Elle appréciait tout, toujours, se contentait des petits bonheurs qui voulaient bien mordre sa vie. Armel aurait aimé lui ressembler. Avec le temps et beaucoup de travail, il lui arrivait de s'en approcher, mais ce n'était pas naturel. Le bonheur lui demandait du travail et la présence des autres. Toutefois, elle savait comment créer des moments de pur délice, en était fière et s'en réjouissait.

— C'est vraiment beau ! lança Sandrine.

Elle s'appuya à la fenêtre et respira profondément pendant quelques minutes.

— Profite ma belle, profite. Mets-t'en plein le cœur, chuchota Armel en farfouillant dans les affaires du grenier.

Sandrine aurait aimé figer cet instant sur un tableau : la mer en bataille, les habitants de la ville en contrebas qui se précipitaient, les éclairs qui perçaient parfois le ciel gris, une fin du monde passagère qui réjouissait les gens à l'abri. Elle repensa à Monet qui avait jadis adopté l'île, qui venait souvent y peindre, et comprenait qu'il y ait été si attiré, comme une dizaine d'autres artistes renommés d'ailleurs. Nul doute, Belle-Île portait bien son nom et encore, Sandrine n'avait rien vu ! Belle-Île-en-Mer était idyllique.

Les nuages étaient de plus en plus sombres et menaçants, les gens se faisaient de plus en plus rares dans les rues. Les plaisanciers bloquaient leur voilier, soit après s'y être enfermés, soit après en être sortis pour trouver refuge dans un des cafés de la rue de l'Acadie. D'ici, Sandrine se sentait en contrôle et rassurée. Finalement, elle remerciait Armel de lui avoir suggéré de regarder la tempête, blottie à l'intérieur. Elle prit une autre respiration abdominale longue, profonde et sentie, question d'immortaliser ce moment. Elle était bien. Le tonnerre la fit sursauter. Elle rit.

— On ne s'y fait jamais, dit Armel en continuant de gratouiller dans ses affaires.
— Est-ce que c'est à vous tout ça ?, demanda Sandrine en parcourant ces objets du regard.

Armel s'arrêta, mit ses mains sur ses hanches et consta-ta elle aussi, en regardant la pièce :

— En gros, oui... Ici, c'est toute ma vie, répondit-elle, nostalgique.

Elle s'assit sur un imposant coffre en bois.

Une succession d'éclairs les interrompit. Le ciel était soudainement pris d'assaut par ces vives lumières et le vent montait en intensité. Le tonnerre gronda très proche d'elles. Sandrine, à nouveau surprise, lâcha un cri, puis éclata de rire.

— J'ai jamais entendu si fort chez moi !
— Où habites-tu ?
— À Igny, en banlieue de Paris.
— Connais pas.
— À 15 km de la capitale.

Un autre coup de tonnerre les fit vibrer et la pluie se mit à tomber avec une force divine. Le ciel était en colère et les dieux allaient bientôt leur tomber sur la tête.

— Pourvu que l'électricité tienne !... J'ai un gigot à préparer.
— Mmmh... fit Sandrine qui était une gourmande no-toire... Finalement, ça tombe très bien que je sois venue chez vous pour me reposer, dit-elle en souriant, espiègle. M'auriez-vous vu en vélo aujourd'hui ? J'aurais trempé mon équipement dès le premier jour. Bonjour les vacan-ces !
— Il y a rien qui arrive pour rien, disent les anciens.

Sandrine sourit. Elle ne croyait pas vraiment au destin… Enfin, plus maintenant. Elle tentait de faire le plein en se concentrant sur le moment présent et en ne pensant à rien d'autre. Elle se sortait tranquillement la tête de l'eau.

— Voulez-vous venir voir ? dit la jeune fille en se poussant pour laisser la place à la vieille dame sur le bord de la fenêtre.

— Oh, tu sais, des tempêtes à Belle-Île, j'en ai vu assez… et des pires encore.

Elle prononça cette phrase avec un soupçon de tristesse et tomba dans la lune.

— J'ai l'impression que je ne m'en lasserais jamais, ajouta Sandrine.

— Tout dépend ce qu'elle te fait vivre, la tempête.

Sandrine regarda Armel quelques secondes, espérant qu'elle élaborerait sur cette dernière remarque. En vain. Elle reporta son attention dehors, admirant le paysage. La vieille dame recommença à farfouiller dans ses choses, visiblement à la recherche d'objets d'intérêt.

— Tiens, regarde, ça appartenait à ma grand-mère. Une vraie coiffe bretonne…

Sandrine sourit et vint la rejoindre. Elle tâta la coiffe, faite de dentelle. Elle sentait l'humidité, mais elle avait tenu toutes ces années, bien droite, bien ferme. Le travail était délicat, les détails créés avec finesse et originalité sûrement par des mains de maître. Armel lui montra un tablier bleu et blanc :

— Maman faisait les meilleures crêpes de l'île, et c'est pas seulement moi qui le dis. L'actrice Sarah Bernhardt l'a employée comme cuisinière quand elle était sur l'île.

Sandrine ouvrit grands les yeux, ébahie.

— LA Sarah Bernhardt ? !
— Eh oui, elle.
— Ben dites donc...

La jeune femme s'assit sur un cheval à bascule assez solide pour résister à son poids.

— C'est vraiment étrange... J'ai longtemps étudié en théâtre et ça a été ma comédienne fétiche. Sa vie m'intriguait... Elle m'a suivie pendant toute mon université et pourtant, il y en a des gens dans ce métier ! Et je l'avais choisie elle, Sarah Bernhardt.

Armel leva la tête.

— Il n'y a pas de hasard...

...

— Tu dois bien connaître la Pointe des Poulains alors ? poursuivit la vieille dame. C'est là que dame Sarah a habité.
— Oui, oui, je sais ! On peut la visiter ? Vous voudriez me montrer ? M'y emmener demain ? demanda la jeune femme enthousiaste. J'imagine que vous avez beaucoup de choses à raconter.
— Non, non, s'empressa de répondre Armel, comme si on venait de la brûler. J'ai beaucoup de choses à faire demain.

Évidemment, il n'en était rien et Sandrine le sentait bien.

— On pourrait y aller après-demain, alors ? insista-t-elle.

Elle sentait qu'elle avait touché une corde sensible et cette corde devait être dénouée. La vieille dame avait trop d'émotions dans la gorge. Sandrine poursuivit :

— J'ai toujours été subjuguée par l'histoire humaine. Savoir que des gens, de vraies personnes ont foulé le même sol que moi, mais des années avant, marcher sur leurs traces en me remémorant ce qu'ils y ont vécu, je trouve ça vraiment fascinant.
— Bien, vas-y ma fille, vas-y, fit Armel en regardant dehors au loin, les yeux dans la vague. Elle serra son col, comme si elle avait froid.

Sandrine abandonna pour l'instant, mais elle n'avait pas dit son dernier mot. La vieille dame porta ses yeux sur un vieux vase craquelé qui reposait sur une commode du siècle dernier.

— Eh bien tiens, puisque tu aimes les histoires, en voici une. Donne-moi cette potiche là-bas, dit-elle en pointant l'objet.

Sandrine lui remarqua un tremblement qu'elle ne lui avait pas vu avant. Elle enjamba les objets au sol, s'étira et saisit, avec une grande délicatesse, le vase qu'elle lui indiquait. Il était couleur coquille d'œuf et dessus étaient peintes des figurines de femmes qui prenaient l'air du temps, en repos sur le bord de l'eau. Sandrine remarqua les détails. Le chien à côté de sa maîtresse, étendue sur un transat, des femmes autour d'elle. C'était soigné et réalisé avec beaucoup de talent et de véracité.

— Tu tiens entre tes mains un des nombreux vases décoratifs préférés de la tragédienne.
— C'était à Sarah Bernhardt ? !
— Elle-même.

Sandrine était abasourdie. Elle tenait dans ses mains un objet ayant appartenu à l'une des artistes françaises les plus marquantes de sa génération. Armel poursuivit son explication. Ses doigts gigotaient en s'entrelaçant. Sandrine aimait bien sa douce voix tremblotante de personne âgée. Elle se laissa transporter dans le temps.

— C'était un dimanche. Je devais avoir sept ou huit ans. Nous passions les étés au fortin de Madame Sarah puisque ma mère y était, comme je te le disais tout à l'heure, cuisinière. Et comme toujours, j'étais plutôt turbulente. Maman avait beau m'occuper en me faisant touiller ses soupes et ses potages, j'étais toujours à courir à droite et à gauche et elle, toujours sur les dents. Il est vrai que la bonne dame de Penhouët, comme on appelait Madame Sarah, avait décoré ses appartements comme une reine : il y avait tant de beautés dans sa maison, dans SES maisons devrais-je dire, que tous les Bellilois en parlaient. Mais voilà ; un jour que j'avais échappé quelques minutes à l'attention de ma mère pour courir dans la salle à manger de la grande dame, je heurtai malencontreusement un superbe vase à fleurs bleu déposé sur le rebord d'une table décorative…

Un chat tout blanc avec un œil noir sortit de sous un vieux gramophone, posé sur une table.

— Ah, mais tu étais là Sentinelle, dit Armel en se penchant pour recueillir l'animal. Elle le prit et le flatta. Mais tu es tout maigre… Il y a combien de temps que tu es là ?

Le chat miaula.

— Quoi, deux semaines ? Mais ça n'a aucun sens ! Qu'est-ce que tu faisais ici ? Moi qui croyais que tu venais tout manger dans ma gamelle chaque soir sans venir me remercier ! Mais qui donc t'as emprisonné ici ?

Le chat miaula à nouveau, plein de ronrons dans la voix.

— Quoi ? Moi ? Mais qu'est-ce que tu racontes ! Je serais incapable de faire ça ? Ou peut-être que si, maintenant… Je vieillis, Sentinelle. Je vieillis…

Sandrine rit.

— Mais pourquoi ris-tu donc petite ? demanda Armel, presque insultée.
— Je ne ris pas de vous, mais de votre façon de nous donner l'impression de le comprendre.
— Détrompe-toi, je lui parle en vrai et je le comprends en vrai… Allez, mon chat, viens avec moi.

Elle était réellement offusquée et Sandrine un peu mal à l'aise. C'est qu'elle était soupe au lait, la vieille ! Armel caressa la tête du chat tout en se retirant dans le couloir. Elle suggéra à sa nouvelle amie de la suivre.

— Est-ce que je laisse le vase ici ?

Armel haussa les épaules.

— Il ne me servira plus. Garde-le.

— Quoi ? Je… je peux pas accepter.

— Et pourquoi, dis-moi ? Allez viens.

Sandrine la suivit dans le couloir avec le vase dans les mains, Armel ferma la porte derrière elles et la verrouilla.

— Ben, je sais pas. Parce que c'est à vous et que vous avez plein de souvenirs qui y sont rattachés.

— C'est vrai. Mais quand tu meurs, les souvenirs, ça sert pas à grand-chose… Et comme j'ai pas d'enfants…

Armel s'immobilisa quelques instants, comme si elle était prise d'un malaise.

— Ça va ? lui demanda la jeune fille.

La vieille dame s'accrocha trois, quatre secondes au cadre de la porte, se ressaisit, tourna les talons et commença à descendre les marches, d'un pas décidé.

— Je vais tout à fait bien !

Chapitre 17

On entendait gronder l'orage au loin, et à l'horizon pointait un coucher de soleil. Il allait faire beau demain. Enfin, peut-être... À l'intérieur, dans le petit havre de paix d'Armel, on entendait le bouillon clapoter dans la marmite, dégageant une odeur à ouvrir l'appétit de n'importe qui. Sandrine coupait les carottes alors qu'Armel ramassait les pelures d'oignon qui jonchaient le sol.

— J'ai toujours détesté couper les oignons, déclara Sandrine.
— Il faut leur parler. C'est comme avec n'importe quoi. Si tu veux cesser de pleurer, il faut que tu mettes tout le monde en garde autour de toi. Tu dois annoncer tes couleurs... Tu parles à l'oignon et tu lui dis tout simplement de ne pas t'attaquer... et ça marche !

Sandrine la regarda interrogative et se mordit l'intérieur de la joue pour ne pas rire. Elle avait eu sa leçon avec le coup du chat. Et cette vieille dame avait le don de semer le doute. On croyait à ses histoires parce qu'elle les racontait avec une telle conviction, même si elles étaient totalement invraisemblables. Armel éclata de rire et s'assit près d'elle.

— Tu me crois folle à ce point-là ? Je parle pas aux oignons quand même ! Et si ça peut te rassurer, j'ai toujours détesté couper les oignons, moi aussi. D'ailleurs, regarde, j'ai un instrument de taille pour en venir à bout.

Elle se leva et fouilla dans le bas de l'armoire à côté de la cuisinière pour en sortir un masque de plongée.

— Tadam !

Cette fois, Sandrine n'hésita pas à s'esclaffer.

— Vous coupez les oignons avec ça ?
— Aux grands maux, les grands remèdes ! Je veux bien croire que ça éclaircit les yeux, comme disait ma mère, mais de toute façon, je ne vois plus très bien alors pour l'éclaircissement, pas la peine.

Sandrine rigola encore un bon coup et continua de couper ses carottes. À côté d'elle, les céleris, les navets et les tomates attendaient d'y passer à leur tour.

— Tu veux un petit verre de rouge ? dit Armel en ajustant son masque.
— Je veux bien, déclara la jeune fille en pouffant de rire.
— On sera donc deux.

Puis, voyant que Sandrine n'arrivait pas à calmer son fou rire, Armel demanda :

— Mais qu'est-ce que t'as ? Qu'est-ce qui peut bien être drôle dans le fait de mettre un masque pour couper les oignons ?

Mais il fallait la voir ! Une femme de quatre-vingt-douze ans avec un masque de plongée sur les yeux, les cheveux d'en arrière relevés par le plastique qui lui serrait la nuque, le visage encore plus ridé par la pression exercée par le masque, ça lui donnait un tout petit visage de grenouille.

— Ok, pardon, j'arrête.

Sandrine prit une grande respiration pour se retenir de rire alors qu'Armel sortait une bouteille de vin de pays qu'elle dénicha dans l'armoire à côté du frigo. Elle remplit deux verres qu'elle avait placés devant elles. Elle était bien. Elle aussi aurait voulu que le temps s'arrête. Elle aurait rêvé d'une maison pleine de gens. N'était-ce pas ce qu'elle avait vécu la première partie de sa vie ? Sa mère, Sarah l'été, puis l'hiver, ses cousins et cousines qui venaient habiter chez elle, question de se mettre quelque chose sous la dent. À l'époque, Armel ne savait pas encore que ces visites ponctuelles étaient le fruit d'une extrême pauvreté dans presque toute sa famille. Ces choses ne se disaient pas. Tout ce qu'elle savait, c'est que le poisson que son père pêchait arrivait à nourrir tout le monde, sauf l'hiver quand il faisait trop froid. Alors, c'était les sous amassés l'été par sa mère qui compensaient. Madame Sarah était très généreuse et ça, tout le monde le savait. On en arrivait même à oublier ses grands airs et ses mémorables crises de colère. Une artiste demeure une artiste…

Comme si Sandrine lisait dans ses pensées, elle lui demanda, en regardant la potiche sur la table du salon :

— Vous ne m'avez toujours pas dit comment vous avez obtenu ce vase ?

Armel leva son verre et tint à trinquer :

— À ta belle présence, chère jeune fille. Et à ta santé !
— À la vôtre ! fit son interlocutrice.

Sandrine but. Armel l'accompagna puis poursuivit son histoire en coupant ses oignons. Aucune larme ne coula de ses yeux.

— Quand ma mère a entendu le vase éclater sur la céramique, elle a accouru d'un trait et m'a infligé une fessée dont mes fesses se souviendront toujours… J'en ai encore mal… Alertée par mes cris, Madame Sarah s'est précipitée à son tour et s'est portée à mon secours. « Pauvre chérie ! Je suis certaine qu'elle ne l'a pas fait exprès. » « Pardonnez-nous, Madame. Je suis vraiment désolée, a lancé ma mère. Cette enfant ne tient pas en place deux secondes. Elle ne cesse de faire des bêtises. » « Mais n'étiez-vous donc pas comme cela ? gronda Sarah » Ma mère a alors baissé les yeux. On ne répondait pas à une dame de son envergure, surtout qu'elle était sa patronne. Elle était vaincue et j'avais gagné. Malgré tout, je me sentais la grande perdante dans toute cette histoire. J'étais inconsolable. Bien sûr, la fessée me brûlait encore et je suis certaine que je portais les marques de la main de ma mère plusieurs heures après, mais ce qui me blessait le plus, c'était le revers que venait de subir maman que j'aimais tant… Une telle humiliation dont elle ne me reparla plus jamais. Oh oui, je l'avais méritée cette fessée ! Tu sais en ces temps-là, nous n'avions pas vos méthodes d'éducation actuelles. On ne négociait pas et si tu veux mon avis, c'était pas plus mal.

Elle prit une gorgée de vin, retira son masque.

— Pas pratique pour boire, ce truc. De toute façon, c'est fini les oignons.

Elle les déposa dans un bol en porcelaine et entama la coupe des navets avec beaucoup de difficulté. Ils étaient robustes et durs. Voyant qu'elle n'arrivait pas à y planter son couteau, elle baissa les armes et demanda à son invitée de s'en charger, puis s'occupa plutôt des tomates. Sandrine accepta et la pria de poursuivre, buvant la moindre de ses paroles.

— Voyant que j'étais inconsolable, Sarah Bernhardt s'est retournée et s'est dirigée vers son buffet, un meuble magnifique qui renfermait de véritables petits trésors. Je suivais ses gestes avec une attention que je ne m'étais jamais connue. Elle a alors agrippé un des plus beaux vases qu'elle possédait et est revenue vers moi en se penchant à ma hauteur. « Tiens, jeune fille, m'a-t-elle dit. Conserve-le, je te le donne. Mais considère que c'est un grand trésor que tu ne dois jamais briser. Prends-en soin comme si c'était ton propre enfant et un jour, tu verras, il va valoir cher. »

— C'est vrai qu'il doit valoir une fortune ! Vous vous êtes renseignée ?

Armel haussa les épaules, manifestant son indifférence :

— Oh oui, il vaudrait sûrement cher ! Surtout qu'il est en parfait état… mais ça donnerait quoi de le léguer à des inconnus ? L'histoire qui l'accompagne se perdrait. Avec toi, je suis certaine qu'elle se perpétuera.

— Je ne peux pas l'accepter, bafouilla Sandrine. On se connaît à peine.

— Tu ne peux pas le refuser maintenant, justement parce qu'on se connaît trop, contrairement à ce que tu crois… Et ce n'est pas fini.

Sandrine eut un frisson. Armel s'arrêta et lui prit les mains en la regardant dans les yeux.

— Tu es une âme pure, chère Sandrine. Madame Sarah serait très fière que ce vase t'appartienne… C'était une femme si bonne au fond.

Armel but une gorgée de vin, se leva pour brasser son bouillon et, ravie de retourner dans son passé, poursuivit :

— Je me rappelle clairement quand elle se promenait dans Le Palais en lançant des bonbons aux enfants. On se jetait littéralement dessus...

Elle sourit.

— Un jour, mon petit cousin, qui n'avait pas la langue dans sa poche, la vit venir devant lui en char et oublia de ramasser les bonbons. Il était obnubilé par le passage de cette désormais légende dont on parlait tant, dans tout le pays. Il la voyait. Elle était enfin devant lui. Sans aucune retenue, il lança : « C'est ça Sarah Bernhardt ? Qu'est-ce qu'elle est vilaine ! »

— Hou là ! fit Sandrine en croquant un céleri.

— C'est ce que je me suis dit aussi en serrant le bras de ce petit Victor, qui avait à l'époque six ans. Eh bien, au lieu d'être renversée par cette réflexion lancée sans réfléchir, la grande dame se pencha vers lui et lui donna une pièce d'or ! Nous étions tous estomaqués... et honnêtement, si nous n'avions pas tous été très bien élevés et que nous ne craignions les épouvantables représailles de nos parents, nous l'aurions insultée tour à tour, question d'avoir, nous aussi, droit à une de ses nombreuses pièces !

Sandrine rit. Elle n'en revenait pas. Hier, elle tentait de se sortir de sa déprime dans sa ville de banlieue et aujourd'hui, elle était là, avec une petite vieille, à couper des navets et à l'écouter raconter les souvenirs qu'elle avait d'une des plus illustres femmes du théâtre français.

— Vous en avez d'autres histoires comme ça ?

— Oh la la ! Des tonnes !, lança Armel en se rasseyant.

— Allez-y !

— Non. Je veux que tu me parles de toi maintenant.

— Bof... pas grand-chose à dire. C'est déprimant en plus... Elle but une gorgée de vin. J'aimerais vraiment aller avec vous à la Pointe des Poulains ? S'il vous plaît, dites oui !

La vieille dame grimaça une fois de plus, manifestement troublée. Elle bafouilla :

— Tu sais... Je... je ne sors plus depuis bien longtemps... L'air du large me donne mal aux jambes... L'humidité... Je sais pas... Et c'est du passé.
— J'ai un peu d'argent ! On peut louer une voiture et vous me faites faire le tour de vos souvenirs. Ça me ferait tellement plaisir !

Au même instant, avant qu'Armel eut le temps de répondre, on frappa à la porte. La vieille dame était sauve... pour l'instant. Elle se leva avec peine, enjamba Minet et Sentinelle qui se bastonnaient sur le paillasson et s'avança vers la porte pour ouvrir. Devant elle se tenaient Bili, un peu nonchalant comme d'habitude, accompagné d'une femme et d'un homme qui n'étaient pas du coin, ça c'était certain. Ils étaient tirés à quatre épingles comme s'ils venaient de faire des affaires, complet cravate pour lui, jupe droite pour elle, air hautain alors que Bili, lui, était, de toute évidence, mal à l'aise. Ça n'allait plus. D'un seul coup d'œil, Armel venait de comprendre. C'est bien des affaires qui venaient de se brasser ici et c'est aujourd'hui, contre toute attente, qu'on venait le lui annoncer. Bili, toujours aussi lâche, mâcha ses mots :

— Je... je viens vous présenter vos... vos nouveaux propriétaires... Eh oui Armel, j'ai vendu. Il le fallait, vous savez bien vous, comment c'était devenu.
— Te fatigue pas, dit Armel, qui crut défaillir.

La voyant pâlir, Sandrine se leva pour la soutenir et pour que sa faiblesse paresse le moins possible, elle lui prit le bras et la main. Sentant le malaise, Bili tenta une fois de plus de se justifier :

— Il faut ce qu'il faut… Vous savez, j'ai bien essayé…
— Vous n'avez rien essayé du tout ! s'énerva subitement Armel en le regardant droit dans les yeux.

Bili baissa la tête, surpris et honteux. S'attendait-il à autre chose ?

— Ne vous en faites pas, nous prendrons bien soin de vous ! tenta de récupérer madame Lucas d'un ton faussement gentil.

Mais Armel n'avait même pas la force de juger de quoi que ce soit, pas plus de ce faux air que de ce que cette annonce signifiait pour elle. Tout ce qu'elle savait, c'est qu'elle perdait d'un coup seize ans de vie commune avec Bili, un grincheux qui n'avait même pas eu le courage de lui faire part de ses projets avant de la mettre devant le fait accompli, qui se cachait derrière ces inconnus pour lui annoncer l'irréversible. Armel serra la main de Sandrine.

— Et moi, je fais quoi ?
— Mais vous restez ! affirma la dame. Vous restez, ma chère !

Ma chère ! Armel aimait être tout sauf être une « chère » ! Surtout pour de parfaits inconnus ! Elle détestait ces mots : « ma chère ! ». Ça commençait bien : sa nouvelle propriétaire, une vieille bourgeoise française cossue !

Sandrine avait le cœur gros. Sa vieille dame lui semblait soudain si menue, si désemparée. Toute la confiance qu'elle avait manifestée dix minutes auparavant venait de s'envoler. Elle était perdue, confuse.

— Vous allez voir, rien ne changera pour vous, tenta d'amadouer encore une fois madame Lucas, on sera juste vos nouveaux amis. Elle s'adressait à elle comme si elle était une enfant, en tapant régulièrement dans ses mains et en pliant légèrement les genoux pour se mettre à sa hauteur.

Dégoûtant, pensa Armel qui ne croyait rien de ces belles paroles. Et de toute façon, c'est elle qui choisissait ses amis. Depuis le temps, elle avait appris… Elle n'avait pas envie de parler, pas plus que de faire des belles façons. À quatre-vingt-douze ans, on ne faisait plus semblant. Quatre-vingt-douze ans. Est-ce que ça valait vraiment la peine de continuer ? Elle avait un sacré coup de déprime.

— Bon, fit l'homme dodu à côté de la future propriétaire. Il n'avait pas ouvert la bouche, mais pour le départ, il était prêt. Nous allons y aller, mais nous nous reverrons le 20 juillet.

Il lui tendit une main qu'Armel ne lui serra pas. Elle leva celle qui était emprisonnée dans la main de Sandrine et dit, sur un ton cinglant :

— Désolée, ma main est déjà prise.
— Voyons Armel, il faut pas prendre ça comme ça ! Allez, soyez de bonne foi, tenta Bili.
— Vous, taisez-vous ! dit-elle le trémolo dans la voix. Je vous aurais cru capable de tout, mais pas de comploter dans mon dos… Et c'est « madame Armel » pour les inconnus, je vous prie.

D'habitude, Armel ne se formalisait pas de ce genre de convenance, mais à ce moment précis, plus rien ne passait.

— Après seize ans de vie commune Bili, seize ans, vous rendez-vous compte ? Votre femme était mon amie et vous effacez tout ça comme ça, dit-elle en claquant les doigts.

— Allez viens, dit le nouveau propriétaire en tirant sa femme par le bras.

Ils saluèrent furtivement leur future locataire, sans toutefois s'attendre au retour de politesse, et partirent. Sandrine leur dit au revoir, gênée.

Bili avait l'air lourdaud devant elle. Le silence se fit pesant. Il tenta de l'interrompre :

— Oh là, là. Faites-en pas un drame. Je change pas d'île quand même. Je vais habiter avec mon frère à Donnant.

— Vous savez, j'en ai rien à faire où vous allez habiter Bili et vous le savez très bien parce que je n'irai jamais vous voir !

Elle s'assit sur l'accoudoir du divan en délaissant la main de Sandrine.

— Je le sais, mais moi, je viendrai vous voir, promit Bili.

— Encore faudrait-il que je vous invite, parce que la courtoisie, je la décide, moi.

Bili soupira.

— Rien à faire. Allez, je vous laisse et on se reparlera quand l'orage sera passé.

— Ça aussi, je déciderai quand ça passera, marmonnat-elle. Il y a des orages qui restent longtemps dans le ciel…

Bili partit, l'air coupable, en fermant doucement la porte derrière lui. Pendant ce temps, le liquide bouillonnait drôlement derrière elles et une vague odeur de brûlé les rejoignait. Armel sursauta :

— Oh non ! Mon jarret ! Mon jarret !

Elle trottina vers la cuisinière, ouvrit la porte du four et constata, consternée :

— Jamais de toute ma vie je n'ai raté un jarret, jamais !
— C'est raté, vous êtes certaine ? s'enquit Sandrine.

Elle s'avança et se pencha à son tour pour regarder dans le four. Elle y vit un jarret caramélisé à point qui laissait échapper son jus dans la lèchefrite au fond de laquelle reposaient de petits oignons blancs.

— Meuh non ! déclara la vieille dame en ricanant. Il n'est pas né celui qui va me faire rater un plat !

Sandrine sourit et fronça les sourcils. Comment cette femme pouvait-elle changer d'humeur aussi rapidement ? C'était impressionnant. Peut-être avait-elle bien appris de Sarah Bernhardt au fond ? Peut-être jouait-elle la comédie la plupart du temps ? Ou bien, elle était vachement douée pour effacer la tristesse et faire naître le rire ! Sandrine avait de la difficulté à distinguer le vrai du faux dans ce qu'elle disait, dans ce qu'elle était.

Chapitre 18

Armel avait une façon bien particulière de manger. Très lentement, elle savourait chaque bouchée comme si c'était la dernière, et pour expliquer cette façon de faire, elle racontait invariablement ces deux histoires :

— Ma mère affirmait que pour savoir où trouver le bon amant, ou la bonne maîtresse le cas échant, il fallait les regarder manger. Ainsi, elle disait que quelqu'un qui mange vite aime faire les choses rapidement – et quand je dis choses, c'est « choses » précisa-t-elle en faisant un clin d'œil – alors que ceux qui goûtent et mâchent longuement aiment profiter de chaque instant d'amour avec délice. De la même façon qu'une personne qui est difficile, qui n'aime pas manger grand-chose ne sera pas inventive au lit. Le contraire est aussi vrai. Les gourmandes sont souvent gourmandes !

La vieille dame s'esclaffa, espiègle. Sandrine sourit et réfléchit à ses expériences. C'était amusant puisque pour elle, ça fonctionnait. Ça lui faisait tout drôle d'entendre parler de relations sexuelles de la part d'une vieille dame, mais avec Armel, il fallait s'attendre à tout. Qu'avait-elle vécu ? Qu'avait-elle été comme femme, comme maîtresse, comme amante, elle qui disait ne pas avoir été mère ?

— Et puis, il y a une autre raison pour laquelle je mange lentement. Bien sûr, quand on mange lentement, on savoure, on apprécie, on écoute notre faim et on sait s'arrêter quand on est rassasié puisqu'on sent mieux les signaux de satiété, mais on a aussi moins de chance de mourir étouffé… comme mon oncle.

— Votre oncle est mort étouffé ? demanda Sandrine après avoir bu une gorgée de vin.

Elles venaient d'entamer une deuxième bouteille et commençaient à être pompettes.

— Devant nos yeux. Un bout de pain dans le fond de la gorge. C'est pas qu'il était glouton, mais il avait si faim que quand il réussissait à avoir à manger, il se jetait sur sa pitance sans demander son reste. Résultat : il en est mort… Je me souviendrai toujours de la panique de ces grandes personnes autour de la table qui lui tapaient dans le dos tour à tour, sans résultat. À l'époque, on ne connaissait pas la méthode que vous pratiquez maintenant.

— La méthode d'Eimlich.

— C'est ça, oui… Maintenant, je saurais. Et les autres aussi sûrement. Mais ils sont morts à leur tour.

— Pas étouffés, j'espère ? !

— Meuh non, rigolote ! De leur belle mort… ou d'avoir été trop mesquins.

Sandrine ne releva pas cette dernière réflexion et poursuivit plutôt sur cette question :

— Vous êtes la dernière qui reste de votre famille ?

— À Belle-Île, oui. Je n'ai pas eu de frère ni de sœur et les enfants de mes cousins et cousines sont partis sur le continent… Tu me donnes du vin, s'il te plaît ?

— Bien sûr.

Elle la servit, une fois de plus. L'agneau était absolument divin. Sandrine apprécia réellement la sauce tomate veloutée qui enveloppait cette viande au goût prononcé. Elle y trempait régulièrement son pain qui, malgré la pluie qui était tombée sur la ville et qui avait laissé ses empreintes d'humidité dans l'air, était toujours aussi craquant. Sandrine adorait la baguette. Et les légumes ! Que dire des légumes ! Imprégnés du bouillon, ils fondaient dans la bouche et la chaleur qui se dégageait du plat lui donnait l'impression qu'elle avalait à chaque bouchée un baume qui saurait la protéger de toutes les maladies, déprimes et autres afflictions morales et physiques. Peu importe que c'était l'été et qu'on lui servait un plat d'hiver, elle l'appréciait réellement.

— Mais tu ne m'as toujours pas parlé de toi chochotte... fit remarquer la vieille dame, en se resservant un morceau de pain.
— Rien à dire... qui en vaille la peine. Vos histoires sont de loin plus intéressantes.
— Tu sais pourquoi elles le sont ? Parce qu'elles appartiennent à un passé lointain. Le passé fascine alors que le présent confronte. Mais il y a des histoires qui appartiennent à une autre époque qui font aussi mal lorsqu'on les raconte. Il y en a comme ça qui ne s'effacent pas...

La vieille dame ne pouvait rien cacher. Son expression était d'une transparence qui ne trompait pas. À ce moment précis, Sandrine sentait que son interlocutrice venait de penser à un douloureux souvenir. Sensible à ces émotions brutes, elle décida, comme pour effacer le tableau, de se lancer à son tour. C'est vrai, elle devrait bien confronter sa réalité un jour elle aussi. Et puis, ce n'était franchement pas si terrible.

— Mon mec m'a plaquée, tout simplement, laissa tomber la jeune fille en avalant une gorgée de vin... Et m'a pris une partie de moi-même. Sept ans fichus en l'air comme ça, d'un claquement de doigts.

Elle fit le bruit avec ses doigts. Armel, qui clapotait dans son assiette, leva la tête pour la regarder.

— C'était donc ça ce petit air triste que tu n'arrivais pas à cacher…
— Je l'aimais tellement, si vous saviez.

Ses lèvres tremblotantes et sa voix engorgée d'émotions la trahissaient. Armel était soudain d'une douceur affable.

— Et comment il était ?
— Qui, lui ?
— Oui, lui.

Les yeux de la jeune fille s'éclairèrent.

— Il était tout ce que je pouvais désirer… Doux, attentionné, amoureux comme pas un, il me réservait un traitement de premier choix… Mais le problème, c'est qu'il n'a jamais su s'arrêter juste à moi. Et j'acceptais ses escapades, ses expériences, ses infidélités. Je savais que c'était moi qu'il aimait, que c'était moi qui étais vraiment dans sa vie… Enfin, c'est ce que je croyais.

Dehors, la pluie avait cessé et les mouettes commençaient à revenir tournoyer autour de la fenêtre du salon. Le jour était tombé pour de bon.

— J'acceptais donc tout ça sans rechigner. Après tout, c'était l'entente qu'on avait eue ensemble dès le début. Pleine liberté…

Elle ne mangeait plus et jouait avec son pain en arrachant des morceaux de mie qu'elle mettait en boule sur la table.

— Je croyais que c'était la bonne façon de le garder. Lui laisser sa liberté. Mais à force de goûter différents fruits, il en a trouvé un qui avait meilleur goût que moi, une fille plus mince, plus belle, plus douce...

— Ça c'est impossible ! lança Armel avec virulence. Ton cabotin se trompe et il s'en rendra bientôt compte !

— Je ne crois pas, fit Sandrine, les émotions encore sur le bord des lèvres. Et c'est ok comme ça...

— Et tu ne t'es pas battue ? Juste un petit peu ?

— Jamais je me battrai pour l'amour... Si c'est pas naturel, vaut mieux que ça vienne pas du tout.

— Quant à ça... ajouta Armel en y réfléchissant bien. De toute façon, je suis célibataire depuis si longtemps, je ne suis pas de bons conseils en ce qui concerne l'amour. N'empêche, il est bien zozo ton copain. Il a laissé passer la chance d'être heureux.

Sandrine entendit mal cette dernière phrase tant les mouettes et goélands qui voltigeaient dans le ciel près de la fenêtre criaient fort.

— Mais qu'est-ce qu'elles ont ? demanda-t-elle.

— C'est leur heure ! Pluie, pas pluie, leur ventre n'oublie pas que c'est l'heure. Elles connaissent bien la main qui les nourrit.

Sandrine assista donc au rituel des repas. Armel sortit des restes de la préparation, des épluchures de légumes, du gras de viande, du poisson, des restes de pain, tout, en fait, qui était comestible puisque ses mouettes à elle mangeaient à peu près tout. Elle se rendit à la fenêtre avec son seau de plastique rempli à ras bord, l'ouvrit et lança un cri pour calmer les volatiles et les faire s'approcher délicatement d'elle.

Elle tendit la main en attendant que ses amis viennent y picorer et une fois de plus, elle fit usage de cet étrange dialecte que les bêtes semblaient comprendre. Les oiseaux se calmèrent et attendirent sagement leur tour, perchés ici sur un toit, là sur une lucarne ou tournoyant dans le ciel pour être certains de ne rien manquer. Armel les présenta, par leur prénom, à une Sandrine fascinée :

— J'ai mes fidèles : Albatar, Chamine, Blocbust, Chemineau, Charles, Trottier, Zouzine, Manmio… et j'ai des inconnus de passage que je ne prends pas la peine de nommer. Ce sont eux qui me le disent s'ils ont envie de rester pour longtemps ou s'ils ne sont que de simples touristes.

— Vous me faites marcher. Vous ne pouvez pas connaître le nom de ces mouettes puisqu'elles sont toutes pareilles. Comment les distinguer ?

— Mais elles ne sont pas du tout pareilles ! C'est seulement que tu ne connais pas leurs différences. Moi, à force de passer ma vie avec elles, je sais qui est venu, qui a pris son dû et qui manque à l'appel.

Sandrine rigolait. Elle trouvait cette histoire d'oiseaux insensée, comme le reste d'ailleurs, mais un peu de couleur ne pouvait lui faire de mal et d'un côté elle avait besoin d'y croire.

— J'ai fait un compromis avec eux, poursuivit la vieille dame. Je leur donne à manger, et elles vont crier ailleurs pour la nuit. C'est comme ça que je me suis rapidement retrouvée la seule habitante de la ville à ne pas être incommodée par ces cris lancinants. Les mouettes, c'est bien beau, mais elles ne chantent pas comme les serins !

Elle repoussa son verre de vin. C'en était assez pour ce soir.

Sandrine partageait le lit avec la vieille dame. Une première journée à Belle-Île et elle était déjà enivrée d'un bonheur étrange, qui ne trouvait pas de mot. Ce n'était pourtant pas encore le paysage qui l'avait séduite puisqu'à part Le Palais, tout lui restait à découvrir. Bien sûr, c'était la vieille dame qui, comme une gentille sorcière, l'avait envoûtée, lui redonnant envie de vivre comme avant.

Couchée sur le dos à côté d'Armel, une légère couette sur elle, elle repensait à sa journée, à Sarah Bernhardt, aux vieilleries entassées dans le grenier, à toutes ces choses qui semblaient habiter sa nouvelle amie remplie d'une tristesse nouvelle à l'idée de partager son quotidien avec de snobs inconnus et d'une peine enfouie qu'elle n'arrivait pas à cerner, et se laissa bercer par le vent qui entrait par la fenêtre. Il était confortable et se réchauffait tranquillement. Demain, Belle-Île l'attendait et elle ferait tout en son pouvoir pour la découvrir avec Armel. Elle était convaincue qu'elle avait quelque chose à y vivre.

Chapitre 19

À peine 9h et déjà, on sentait la chaleur s'installer sur Le Palais.

— Dommage que vous ne m'accompagniez pas, dit la jeune fille en pliant les draps.
— J'ai tout vu de cette île, Sandrine. Un jour ou l'autre, on doit laisser sa place.

Armel déposa les bols de liquide chaud sur la table et s'assit.

— Mais à qui ? Les plages sont abondantes, grandes, les récifs et les falaises ne se comptent plus ! Qu'est-ce qui s'y est passé, dites-moi ?
— Rien, bafouilla la vieille dame. Qu'est-ce qu'il peut bien y avoir de mal à vouloir rester chez soi quand on a quatre-vingt-douze ans ? Je suis fatiguée, c'est tout.

Mais Sandrine n'y croyait pas. Et elle était têtue elle aussi.

— Pfff. Fatiguée ? Vous ? Vous êtes-vous seulement regardée deux secondes ? Vous êtes la femme la plus en forme de l'île, je suis sûre.

Armel brassait son thé, songeuse. Sandrine sentait qu'elle avait peut-être un peu trop insisté et arrêta, en s'attelant plutôt à terminer sa tâche. Elle vint la rejoindre à table et elles prirent leur petit-déjeuner en parlant de tout et de rien. Sandrine trempa son croissant dans son chocolat tout en lui avouant qu'elle irait à la Pointe des Poulains en premier. Elle ne pouvait faire autrement maintenant. Elle avait vraiment envie de fouler le sol de la comédienne après en avoir tant entendu parler la veille.

Armel sourit et se mit à réfléchir. Un jour, elle avait décidé de ne plus sortir de la ville et c'était ainsi. Elle n'avait plus vu ses amies, ni ses plages, pas plus que ce qui pouvait bien rester de sa famille éloignée. Mais ce n'était pas pour rien. C'était il y avait environ 36 ans. En y pensant bien, comme un éclair qui la frappait maintenant, elle se demanda pourquoi elle s'était ainsi punie en se privant de ces merveilles que lui offrait l'île. Toutes ces années, elle leur avait tous donné raison en restant barricadée ! Elle leur avait donné raison ! Armel était soudainement remontée, trouvant en elle l'esprit de combat qui l'avait toujours allumée… avant.

— C'est ok ! Je t'accompagne !
— Quoi ? ! fit Sandrine qui s'étouffa presque avec la bouchée qu'elle venait d'avaler.
— Il n'y a pas de raison. Je vais sortir.
— Mais qu'est-ce qui vous a fait changer d'idée ?
— Toi, ma belle, dit-elle en se levant pour se changer dans la salle de bain. C'est toi !

Chapitre 20

Il n'y avait pas plus belle journée pour visiter l'île que celle-ci. Le vent qui valsait sur la côte les rafraîchissait alors que le soleil leur donnait envie de se tremper les pieds. Sandrine avait entrouvert sa fenêtre, car la vieille dame avait des frissons ; on se demande bien comment avec cette chaleur ! Elle avait encore revêtu un col roulé et un pantalon long. Sandrine étouffait rien qu'à la regarder. Armel se tripotait les doigts, sans échanger un seul mot avec sa conductrice. Elle regardait le paysage avec une attention soutenue, ne voulant pas manquer une seule seconde de ce paysage qu'elle connaissait si bien. « Son cœur doit battre bien fort », pensa Sandrine en constatant que sa copine respirait plus profondément et plus rapidement.

Elles pénétrèrent dans le sentier menant au fortin. Les roues mordaient le gravier. Sandrine avait toujours aimé le crissement des pneus sur les cailloux. Ça lui rappelait ses vacances à la campagne lorsqu'elle était petite. Quand elle entendait ce bruit à nouveau, elle se sentait réconfortée à tout coup. Au loin, le paysage s'annonçait déjà magnifique. Armel soupira d'angoisse, elle se sentait fragile et vulnérable, son corps chevrotant. Son enfance à elle défilait aussi sous ses yeux et elle avait des flashs de tous les vibrants souvenirs qu'elle avait pu y vivre. Le fortin était aujourd'hui en rénovation et inaccessible par le sentier.

— Ils lui refont une beauté… Il est si vieux… Et ça ne me rajeunit pas.

Sandrine stationna la voiture, descendit, en fit le tour et aida son amie à sortir en la prenant par le bras. Ce n'était pas tant la vieillesse que l'émotion qui lui ôtait quelques-uns de ses moyens. De coutume, elle n'aurait pas accepté cette aide qui prouvait sa faiblesse, mais à ce moment précis, plus rien n'avait d'importance. Ses jambes ne la tenaient plus. Armel était transportée dans le temps et les quelques gens qui passaient, le bruit des voitures qui arrivaient au compte-gouttes, les fous de Bassan, les goélands et les mouettes de mer qui frôlaient les récifs au loin, tout cela n'avait plus aucune importance. Elle réentendait plutôt des cris d'enfants qui tournoyaient dans ces lieux autrefois majestueux que la Seconde Guerre mondiale avait détruits.

Armel marcha dans l'allée menant à la Villa Lysiane, qui portait le nom de la seconde petite-fille de la comédienne. De cette époque, il ne restait que le fortin et la villa qui avaient résisté au temps, à l'envahisseur et aux touristes. Sandrine trouvait ce paysage éblouissant, malgré l'hostilité des côtes sauvages. Elle comprenait pourquoi madame Bernhardt avait choisi d'y vivre, en dépit des tempêtes qui y faisaient souvent rage, du vent sans pitié qui devait frapper sa demeure et de la mer qui se déchaînait quand la nature le décidait.

Armel ne montra pas le même enthousiasme. Elle prit une grande inspiration en fermant les yeux, puis releva la tête et cessa de marcher en regardant le paysage qui l'entourait.

— Madame Sarah serait désolée…
— Pourquoi ? C'est tellement beau ici, dit Sandrine en admirant le spectacle qui s'offrait à elle.

Bien sûr, il y avait des touristes qui affluaient par centaines quotidiennement sur les sentiers menant à la villa, bien sûr, tout ce monde avait certes fait perdre à l'endroit son côté bucolique, mais la nature était encore bel et bien présente.

— Madame Sarah avait fait construire un réel domaine pour elle. Ici, dit-elle en pointant devant elle, il y avait le Manoir de Penhoët où elle s'est installée le jour où le fortin était devenu trop petit pour son confort et ses nombreux objets. Mais aujourd'hui, le manoir n'est plus, comme bien d'autres choses d'ailleurs. Un jour de 44, les Allemands l'ont fait sauter. Certains disent que c'est pour des raisons stratégiques, pour surveiller les bateaux sur le trajet de Lorient, mais d'autres sont convaincus que leurs attaques en étaient de vengeance puisque la grande dame n'hésitait pas à clamer haut et fort sa haine des Allemands. Elle se disait elle-même juive alors qu'elle avait été baptisée comme toi et moi.

Armel avançait et dans sa tête, au fur et à mesure de ses pas, elle entendait toujours les cris d'enfants qui jouaient. Elle se revoyait petite, s'amusant avec les petites-filles Bernhardt, rarement, mais quand ça se produisait, c'était un événement. On lui donnait alors le droit d'aller partout où elle le désirait. Aujourd'hui, plus rien ici n'était comme avant. C'était comme si on avait peint le domaine en noir et blanc. Seule la nature donnait de la couleur à l'ensemble. Heureusement, l'odeur d'iode et les herbes qui se berçaient au gré du vent n'avaient pas changé. Il y a des choses comme ça qui ne bougent pas.

— Ici, il y avait un superbe jardin où elle avait planté les plus belles fleurs, des fleurs qu'on ne trouvait même pas sur l'île à l'époque. Puis, ces vivaces se sont répandues et maintenant, il y en a un peu partout. On oublie que c'est elle qui les avait semées, cultivées, adorées. Pas étonnant qu'on dise que l'âme de Sarah Bernhardt flotte encore sur l'île. Elle aimait beaucoup les animaux aussi. Ici, fit-elle en se retournant, il y avait une mare aux canards et nous sommes probablement en ce moment à l'endroit même où elle avait fait bâtir un pigeonnier. Elle avait également un grand duc, des chiens, des chevaux, des crocodiles et voulait même se faire greffer une queue de tigre au niveau des reins.

— Quoi ? rigola Sandrine.
— Si, si, une vraie queue sur ses vrais reins.
— Il y avait quelque chose qui ne tournait pas rond ou quoi ? dit la jeune fille en faisant tourner son index sur sa tempe, mais Armel trouva son jugement précipité et défendit sa lointaine amie avec un visage plus dur.

— Avec vos vedettes d'aujourd'hui, vous ne connaissez rien à l'art !

Réalisant qu'elle avait été un peu trop dure, elle se radoucit :

— Tu sais, la Belle dame était une excentrique qui pouvait tout se permettre. Elle n'avait qu'à demander et on le lui donnait. Elle ne connaissait de limites que celles qu'elle s'imposait. Et il en a fallu des gens pour la convaincre de ne pas exécuter le plan qu'elle avait en tête et de ne pas transformer son popotin en derrière de tigresse.
— Hé ben dites donc ! fit Sandrine, épatée.

…

Elle avait une chèvre aussi… J'adorais sa chèvre.

Armel s'arrêta en fixant le sol, comme si elle fouillait sa mémoire.

— Je n'arrive pas à me rappeler son nom... Et pourtant, je l'aimais tant. Mais il y a belle lurette maintenant... Il arrivait souvent que je vole des carottes et de la salade à ma mère et que je lui en apporte en cachette. Je crois qu'elle m'aimait bien aussi.

Sandrine souriait. Elle n'arrivait pas à croire qu'elle foulait aujourd'hui le sol qui avait appartenu à la grande Sarah Bernhardt alors qu'à ses côtés, on lui racontait l'histoire vivante des lieux. Quelle chance elle avait ! La vieille dame regarda le paysage à droite, à gauche, au loin devant elle et s'accrocha fébrilement au bras de sa copine.

— Mon Dieu, mon Dieu, mais qu'est-ce que tu me fais vivre aujourd'hui ? !

Elle avait le dos droit, marchait dignement, comme si elle se permettait enfin un pèlerinage.

— Vous êtes déjà revenue ici quand même depuis ?
— Quand ma mère est décédée, oui, mais depuis trente-six ans, je n'y ai jamais remis les pieds.
— Mais pourquoi ? ! s'étonna Sandrine en avançant sur le sentier.
— Pourquoi l'aurais-je fait ?
— Pour le plaisir de revivre ça un peu... Vous y avez habité longtemps tout de même...
...
— Regarde Sandrine dans quel état je suis en ce moment. On n'a pas besoin de ressentir de telles émotions chaque année.

Sandrine la regardait, pleine de compassion. C'est vrai que la vieille dame semblait subitement si fragile, si émotive. Elle tremblotait et avait de grands yeux pleins d'eau. Sandrine n'aurait pas dû insister. Elle sentait maintenant que ce voyage dans le passé était vraiment douloureux pour sa vieille amie et que, pensant bien faire, elle avait en fait ravivé une flamme qui n'aurait peut-être pas dû brûler…

Comme si elle avait lu dans ses pensées, Armel poursuivit en souriant :

— Mais tu sais, j'ai eu une très belle enfance. Bien sûr, je suis nostalgique. Bien sûr, j'aimerais des fois revivre les événements, mais je me sens bien ici. Tu as bien fait de m'y faire venir.

En avançant vers le manoir Lysiane, elle s'aperçut que ce n'était plus le paysage qu'elle avait jadis connu qui s'ouvrait à elle, mais plutôt ce qui lui apparaissait être un cube de béton gris, sans charme, perdu dans un paysage désertique et froid. Armel sentit l'émotion monter à nouveau et regarda ce qui l'entourait avec un mélange de nostalgie et de tristesse. Elle lança un regard furtif au loin pour découvrir ce qui avait été le refuge de madame Bernhard et qui s'avérait être aujourd'hui un squelette recouvert de ferraille et de charpente de bois. On rénovait cet endroit qui avait connu une beauté plus idyllique et aujourd'hui, on ne pouvait y accéder. Pas pour l'instant. Armel demeura interdite pendant quelques instants. Sandrine regardait, sans trop savoir ce que ça pouvait représenter pour sa vieille amie. Tant de souvenirs pourtant, tant de souvenirs…

Elles progressèrent vers le bâtiment qui avait appartenu à la petite-fille de Sarah et en firent le tour avant que Sandrine saisisse la poignée de la porte d'entrée.

— On peut entrer ? fit Armel, d'une voix de fillette innocente. Elle avait perdu toute la solidité qui la caractérisait d'habitude.

— Bien sûr… C'est le bureau d'informations touristiques.

— Oh mon Dieu ! Oh mon Dieu ! Qu'est-ce qu'elle dirait ? Qu'est-ce qu'elle dirait ?

— On y va ?

Armel hésita quelques instants, puis, convaincue qu'elle ne pouvait résister plus longtemps à la modernité, suivit la jeune fille. Elles pénétrèrent dans ce lieu exigu et sombre, accueillies pourtant par une agente tout ce qu'il y a de plus gentil. Sur les murs, on avait exposé des peintures et des photographies de Belle-Île et de la Pointe. Dans des stands, on y vendait aussi des cartes postales, des bouquins, des livres de photographies racontant cette île magique aux mille charmes.

Armel avait les bras bien serrés sur son sac à main, comme si ça lui donnait du courage. Elle avait l'air hagard et cherchait quelque chose qu'elle avait perdu depuis si longtemps, fouillant dans sa mémoire des impressions qui l'avaient bercée. Elle se demandait si elles avaient été bien réelles ou simplement le fruit de son imagination. Rien n'était comme avant. Bouleversée, elle ne savait plus où regarder.

— Est-ce que je peux vous aider ? demanda la dame à l'accueil derrière son comptoir.

Elle avait les cheveux courts, bruns, des lunettes rondes et un sourire franc et sincère, qui traduisait l'envie réelle qu'elle éprouvait de faire découvrir l'île. Armel la regarda sans mot dire. Sandrine allait intervenir à sa place et ainsi rompre le silence quand la vieille dame reprit ses esprits et la place qui lui revenait :

— J'ai déjà joué ici, moi… Avec Lysiane. Nous avions chacune une poupée. Disons que celle que j'avais, elle me l'avait prêtée, mais comme je prenais toujours la même, c'était un peu comme la mienne. De toute façon, jamais elle ne m'a fait sentir que ce trésor ne m'appartenait pas. Elle était gentille Lysiane.

— Vous êtes vraiment venue ici étant petite ? s'étonna sa jeune interlocutrice.

Mais la vieille dame poursuivit son récit, en faisait fi de la question qu'on venait de lui poser. Elle était littéralement plongée dans le passé. Elle parcourait encore et toujours la pièce du regard en tourbillonnant de gauche à droite, de droite à gauche, en croquant chaque recoin de la pièce pour ne rien manquer.

— Il me semblait pourtant que c'était immense et aujourd'hui, c'est à peine si on en ferait une chambre d'hôte…

Elles demeurèrent là un moment, sans voir les gens entrer ni sortir, des curieux qui posaient des questions sur les lieux, qui flirtaient avec les objets à vendre, mais qui, pour la plupart, n'achetaient rien. Mais Belle-Île ne semblait pas être esclave de la rentabilité, les gens ne bougeaient pas au quart de tour, même si, pour vivre, les Bellilois devaient parfois travailler très dur. Il n'y avait qu'à penser à cette pêche restreinte que certains marins devaient faire en un temps record, minutés par les gardes côtiers et gravement pénalisés en cas d'infraction à la loi, ou encore à ces jeunes courageux qui risquaient leur vie pour aller décrocher sur les côtes les pousse-pied si rares et si chers aux Japonais pour comprendre les enjeux de ces passionnés de la mer.

Au bout d'un temps, Armel se dirigea vers la porte, s'arrêta et raconta, avant d'ouvrir :

— Lysiane et sa sœur avaient une écurie de lézards et nous jouions avec eux toute la journée. Puis on regardait Madame Sarah battre le lait pour faire du délicieux beurre salé comme on en trouve tant en Bretagne. Mais celui-là était si bon… quand il ne tournait pas en fromage blanc !

Sandrine salua l'employée, Armel n'y pensa même pas, laissant plutôt ses pieds avancer sur le gravier qui crissait sous son poids. Elle aussi appréciait ce bruit. C'était comme si on lui rappelait que le béton n'avait pas gagné partout… pas encore.

Elles remontèrent aux abords du stationnement, marchèrent longuement sur les sentiers en constatant le mal causé par le pied de l'homme. Les pouvoirs publics avaient érigé des barbelés de conservation de la nature, du peu qui en restait, puisque la destruction de la végétation commençait à s'étendre dangereusement. Déjà qu'avec la force des vents, le sel causait une érosion difficile à combattre pour les fleurs et les herbes des plates-formes. Le piétinement des humains insouciants ou irrespectueux devenait de plus en plus fatal.

— Quand j'étais petite, se désola Armel, on pouvait courir partout. C'était la grande liberté. Aujourd'hui, ils sont obligés de nous mettre des petites clôtures pour nous dire par où passer. Le beau attire l'homme, qui détruit et amène le laid. Puis, il va chercher le beau ailleurs. C'est bien ça votre monde aujourd'hui. Des petites barrières partout pour vous faire comprendre les limites puisque vous ne les comprenez pas vous-mêmes. Vos enfants peuvent bien devenir fous.

Mais cette nature était loin d'avoir tout perdu et tout donné. Elle avait encore de nombreux tours dans son sac. Armel fixa l'horizon. C'était grandiose. Au sommet de la plate-forme, elle, si petite du haut de ses quatre-vingt-douze ans, se sentait gigantesque, invincible. Que la nature était belle et bien faite ! Sandrine était subjuguée, impressionnée.

— Vous rendez-vous compte ? Cette île est votre maison ! Réalisez-vous la chance que vous avez ? !

Armel acquiesça.

Elles ne craignaient pas le silence. Au contraire, elles l'encourageaient. Le vide sert à faire le plein. Aussi, demeurèrent-elles un long moment à admirer la mer invitante avec la chaleur qui s'intensifiait et la plage qui se couvrait tranquillement d'une eau translucide. Derrière, sur les rochers, la marée montait prestement et les deux femmes pouvaient voir les vagues les frapper violemment en créant des tourbillons verts et bleus. Sandrine leva les yeux vers le phare qui lui, ne bougeait pas. Jamais. Et c'est ce qu'elle trouvait fascinant : d'un côté, la mer remuait sans cesse, offrant un spectacle chaque jour différent selon le temps et l'intensité des vents. De l'autre, la terre se figeait et sans les bêtises de la guerre, rien de ce que la comédienne avait fait bâtir n'aurait changé. Ou si peu.

D'ici, elles apercevaient le célèbre Rocher du chien. Sandrine tentait de voir, en penchant la tête, ce qui pouvait bien ressembler à un chien dans ce pic qui s'élevait vers le ciel, et conclut que ce nom avait dû lui être attribué avant que le sel ronge ses flancs. C'est vrai, peut-être qu'à bien y regarder, elle pouvait y voir une bouche et une langue, mais elle trouvait que « la bête » ressemblait davantage à une otarie qu'au meilleur ami de l'homme. On disait qu'il ressemblait à un caniche. Peu importe. Comme tous les rochers, il était majestueux, de toute façon.

Elles descendirent vers la plage. Les touristes arrivaient tranquillement. Qui aurait voulu rater encore plus longtemps une journée si extraordinaire ! Le ciel était sans nuages. Sandrine sortit une serviette de son sac à dos et l'étendit sur le sable. Elles s'y assirent. La mer s'étendait devant elles, le soleil les réchauffait. Elles s'offraient un repos bien mérité, pas qu'elles avaient beaucoup marché, mais il y avait tant à vivre ici… Tant d'émotions.

Armel se retourna vers le fortin et l'observa de longues minutes. Coincé entre ses échafaudages, il lui sembla emprisonné, étouffé. Un peu comme elle. Le fait qu'elle ne pouvait y accéder pour le visiter la faisait souffrir. Mais y serait-elle entrée de toute façon ?

— Regarde, tu vois, juste là, dit-elle en se retournant, en contrebas de la villa de la grande actrice, il y avait des marches qui menaient directement à la mer. En compagnie de ses amis et de sa famille, Madame Sarah y faisait des pique-niques les dimanches. Des fois, on y était.

Elle ferma les yeux et inspira, le sourire aux lèvres en prenant son temps pour bien sentir l'air du large.

— C'était fantastique. Quand j'y allais… C'était fantastique. Elle était entourée d'artistes qui avaient parfois beaucoup de caractère et qui lançaient sur d'impressionnantes tirades. Cette ambiance était fascinante. Pour ma mère, pour moi, c'était tout un honneur de pouvoir nous trouver parmi ces grandes gens. Ils se jouaient la comédie, rigolaient, récitaient des passages de la pièce qu'ils allaient bientôt présenter, se disputaient même, mais c'était à chaque fois inoubliable.

...

— J'ai déjà soif, dit-elle à Sandrine qui réagit aussitôt.
— On sort la bouteille ?
— Va pour la bouteille... C'est pas tous les jours fête ! Et puis, prépare aussi le saucisson, le pain et le fromage ! J'aurais un petit creux que ça ne m'étonnerait pas !

Sandrine rit et dressa la table.

— Je me souviens d'une fois, Madame Bernhardt avait organisé une représentation théâtrale à laquelle tout le monde était convié, autant les grands de son monde que les petites gens comme nous. Tous les profits de son spectacle ont été remis à une fondation qui distribuait du pain aux gens dans le besoin : « Le pain d'hiver des pêcheurs bellilois... » que ça s'appelait, je crois. Elle était très généreuse.

Elle étendit ses jambes sur le sable doré, posa ses bras derrière elle pour se soutenir et fixa la mer devant.

— Des gens comme elle, il n'y en a plus assez maintenant... Elle connaissait les difficultés des pêcheurs qui, pendant les grands froids d'hiver, ne pouvaient pas partir en mer, et ne pouvaient donc pas être payés pour leur travail... La belle époque, termina-t-elle, sarcastique.

Sandrine l'écoutait parler en débouchant la bouteille. Elle se laissait littéralement bercer par l'histoire d'une vie riche et stimulante. À côté, son existence lui semblait bien simplette.

Devant elles, une femme d'une quarantaine d'années osa s'aventurer dans l'eau glacée. Sandrine l'enviait. Elle jouissait d'une telle liberté ! La mer à elle toute seule... Un rêve. Elle plongea dans l'eau d'un seul coup et fit des longueurs sans arrêt pendant une quinzaine de minutes alors que la marée forçait les vacanciers à remonter un peu vers les rochers. Bientôt, Sandrine et Armel ne pourraient plus se rendre jusqu'au stationnement sans se mouiller les pieds pour traverser le petit chemin. Sandrine était fascinée par les marées. Pour elle, c'était une preuve de plus qu'on avait beau tout faire pour la dominer, la nature avait toujours le dernier mot.

— J'ai aucune idée comment ça fonctionne... Des fois, l'eau est plus haute le matin, des fois c'est en fin de journée, des fois, elle dort, d'autres, elle se déchaîne. J'adore l'eau parce qu'elle bouge toujours. Comme moi.

— C'est déjà bien, dit Armel en picolant, c'est dire que tu t'aimes plutôt, comme l'eau. Et c'est vrai que tu es transparente comme elle.

Sandrine sourit. Elle était bien. Elle prit une profonde inspiration et s'assit en tailleur, le verre de rouge dans une main, une rondelle de saucisson dans l'autre. Elle était convaincue que le bonheur pouvait être aussi simple. La mer, une amie, du vin, du pain, du saucisson et des yaourts pour dessert. Le cliché français à sa plus simple expression, mais elle adorait. À leur droite se dressait, triomphant, le phare de la Pointe des Poulains, rouge et blanc, isolé, mais fort les jours de soleil, comme en tempête, le seul qui restait dehors quand la nature se déchaînait. Des gens allaient et venaient à côté de lui, en faisaient le tour. On sentait son vécu. Il se trouvait sur un plateau surélevé par rapport au niveau de la mer, de sorte que lorsqu'on était à son sommet, on avait l'impression de posséder l'univers, les badauds, la mer, la terre.

L'eau allait engloutir la parcelle de terre soutenant ce phare de sorte que si les touristes ne descendaient pas bientôt, ils allaient errer dans l'île jusqu'à la prochaine marée descendante. À moins qu'ils soient bons nageurs.

Armel l'interrompit dans ses pensées, elle qui était restée encore accrochée aux siennes :

— Quand la Belle de l'île organisait des pique-niques, elle ne se servait pas que d'un simple sac à dos comme nous avec une nappe pour accueillir son noble popotin. Oh que non ! Elle faisait trimbaler avec elle, par ses multiples bonnes et valets, une partie de son mobilier. C'était impressionnant. Je me mettais là-bas en bordure de route, poursuivit-elle en pointant le sentier qui menait à la maison en rénovation, et je patientais. Je savais le spectacle qui m'attendait. Madame Sarah préparait un pique-nique ! Défilaient alors les tables, les chaises, les hamacs, les bouteilles de vin, la coutellerie, la porcelaine et tous les invités de marque qui venaient avec.

Elle se remplit la bouche de pain.

— Elle ne faisait rien à moitié celle-là. J'ai rarement vu femme aussi entière et aussi complexe… Quel caractère ! Mais comment lui en vouloir ? Elle a tant fait pour Belle-Île.

Elle prit une gorgée de vin alors que Sandrine buvait, elle, la moindre de ses paroles. Puis, la vieille dame rit :

— Elle n'a jamais perdu une partie de tennis !

— Elle était bonne ? demanda Sandrine.

— Pas tant que ça, mais elle détestait perdre et quand ça lui arrivait, elle faisait une telle crise que tout le monde s'arrangeait pour qu'elle gagne. Gare à celui qui ne lui envoyait pas la balle sur sa raquette. C'était un sacrilège qu'à grands hurlements elle dénonçait sans scrupule.

Les vagues vinrent leur chatouiller les pieds et les rattraper encore une fois. Elles durent remonter, se replier. La mer aurait encore raison. La nageuse venait de sortir de l'eau et s'essuyait. Elle grelottait. L'eau de Bretagne était loin d'être la plus chaude, surtout en début de saison et encore davantage le matin.

— Je me rappelle aussi les maquereaux salés qui pendouillaient au soleil pendant les pique-niques. Je trouvais ça tellement étrange. Ça constituait souvent leur repas à tous et ils semblaient s'en régaler, mais je n'ai jamais voulu y goûter. Déjà, je n'aimais pas le mot : « maquereaux ». Je le trouvais rude et je ne pouvais concevoir que le goût d'un poisson avec un nom aussi laid puisse être bon. J'étais très difficile étant enfant et voir ça se trimballer tout sec au vent, ça me donnait la chair de poule. Ma mère glissait donc toujours dans ma poche une miche de pain que je pouvais manger mine de rien et ainsi je participais au pique-nique sans être trop affamée. Je jouais avec les enfants après le repas… Mais en silence surtout parce que l'après repas, c'était l'heure des siestes au « Sarahtorium ».

— Le Sarahtorium ?

— Oui… C'était une espèce de refuge que Sarah avait fait construire expressément pour les siestes… On disait que les adultes y passaient des moments de délicieux repos, mais nous n'y sommes jamais allés. On avait bien trop peur d'être forcés de dormir. La sieste, c'était maman qui me sommait de la faire les jours de semaine ! Il n'était pas question que je me laisse imposer ça les week-ends quand mes copines avaient tout le temps de jouer avec moi.

Sandrine sourit. La mer les emprisonnait définitivement. Elles devaient terminer leur repas.

Chapitre 21

Avant de remonter dans la voiture, les deux femmes regardèrent une dernière fois ce domaine désormais sauvage
qui avait été celui, raffiné et superbement domestiqué,
d'une grande dame de son temps. Armel dodelina :

— Elle serait désolée de constater les dégâts. Son jardin, son si beau jardin...

Elles s'assirent. La voiture démarra. Le paysage était
pittoresque et filait sous les roues du véhicule que Sandrine conduisait à 50 km/heure. Pas question de manquer
quoi que ce soit : les fermes, présentes bien que rares, les
paysans occupés à discuter au bout de leur terrain, parfois
à travailler, les champs vastes, le ciel variable, pour
l'instant d'un bleu azur, les vaches broutant paisiblement.
Sandrine adorait les vaches. Elle trouvait qu'elles faisaient
partie des rares espèces qui ne se laissaient pas emporter
par la frénésie du XXIe siècle. Elles n'avaient jamais changé ; elles broutaient tout aise en faisant balancer leur
queue au vent pour chasser parfois les mouches, parfois
les abeilles, parfois rien du tout. Elles ne nous regardaient
pas vraiment dans les yeux, mais si pourtant, l'air de dire
« Meuh après quoi donc courez-vous tous ? » Comme
c'était détendant une vache ! Dommage que Sandrine fut
si carnivore... Elle eut une douce pensée pour ses amies
dont elle se régalait d'ailleurs du lait. Les maisons bretonnes étaient menues, comme des maisons de poupée. Quand
elle allait à Dinard étant petite, ou encore à Saint-Malo, et
qu'elle voyait ce genre de maisonnettes, elle se disait qu'il

était bien dommage qu'elles ne fussent pas faites de pain d'épices et recouvertes de bonbons, sans quoi elle n'en aurait fait qu'une bouchée. Toutes colorées, elles étaient souvent collées les unes sur les autres, par amas, et ce qui se passait à l'intérieur était un véritable mystère tant les fenêtres étaient étriquées. Toutes ou presque closes par des rideaux de dentelle qui cachaient les propriétaires à l'intérieur. On ne savait jamais ce qui s'y tramait. Sandrine était si curieuse... Une dame bien en chair les regarda passer en secouant son tapis, et leur sourit.

— Ce devrait être ça, Belle-Île, dit la vieille dame avec tristesse. Des gens généreux et amènes.
— Et ce n'est pas le cas ? demanda Sandrine qui constatait qu'une fois de plus, sa vieille amie avait le vague à l'âme.
— Si, bien sûr, en général... Prends à droite.

Sandrine s'exécuta en empruntant le chemin en direction de Kerel.

— Où on va ?
— Je vais te montrer quelque chose.

Encore et toujours les maisonnettes défilaient sous leurs yeux et presque toutes étaient embellies par des roses trémières ou des géraniums : des rouges, des blancs, des bleus. La nature, elle, offrait en spectacle une variété de fleurs plus colorées les unes que les autres : des pompons des dunes au milieu de fleurs de trèfle doré, des roses pimprenelles, des orpins anglais, des espèces rouges, roses. Spectaculaires avec un ciel bleu. Rafraîchissantes sous un ciel gris. Et dans l'air volaient des odeurs d'anis, de fenouil, de tamaris. Sandrine ne savait pas trop. Ce qu'elle aimait aussi, c'étaient ces rues qui menaient soit dans un bourg de demeures centenaires avec ses habitants souriants et serviables, soit dans ces culs-de-sac qui se rendaient invariablement à une pente escarpée, puis à la mer. C'était féerique et le mot était loin d'être trop fort. À la tombée du jour, on s'attendait à apercevoir ici un elfe, là un korrigan, ici un magicien, là encore une sorcière.

— Suis cette route, s'il te plaît.

Elles suivirent un sentier étroit au bout duquel, justement, elles découvrirent un paysage paradisiaque. Sandrine coupa le moteur. Garées devant le vide, au bout d'une falaise, elles ne disaient rien. D'ici, du haut de ce rocher, sur le bord de la mer, c'était incontestablement dépaysant. Elles sortirent pour admirer en contrebas, vaste et généreuse, l'eau bleue du large qui avalait une eau verte cristalline qui, elle, caressait le sable au bas du rocher. La séparation entre les deux couleurs était frappante.

— Comme c'est beau… D'en bas, on ne voit pas vraiment la différence des deux eaux, mais ici, tout semble évident. C'est magnifique.

Il y eut un léger moment de silence qu'Armel coupa d'une voix légère, faible :

— C'était ma falaise. Mon rocher à moi.
— Vous veniez y jouer étant petite ?
— Non, fit la vieille dame, l'émotion dans la gorge… On me l'avait donné.
…

Armel se retourna vers la jeune femme. Elle tripotait toujours aussi vivement ses doigts crochus lorsqu'elle ressentait une émotion et plus celle-ci était vive, plus ça tournoyait dans tous les sens. Là, ça y allait. Elle avait l'air d'une gamine désemparée.

— Tu sais, je n'ai pas toujours habité dans un hôtel...
L'hôtel, c'est en désespoir de cause, pour ne plus jamais
souffrir, parce que je refusais qu'encore quelque chose
m'appartienne et qu'on me l'enlève, arrachant une fois de
plus une parcelle de mon cœur.

Le vent était bon. Le soleil réconfortant. Sandrine posa
ses fesses sur le capot de la voiture, comme si ça lui permettait d'être encore plus attentive. Il n'y avait rien à dire
pour l'instant. La douleur était palpable.

— Ma famille possédait de grands et beaux terrains à
côté de Donnant. Ça a commencé dans les années 50 avec
le remembrement des terres pour regrouper les parcelles
éparpillées des agriculteurs. C'était pas une mauvaise idée
en soi, sauf que ce sont souvent les mêmes qui ont reçu les
meilleurs lots, bien sûr constructibles. Ce qui a créé des
inégalités entre les habitants, enrichissant les uns et ap-
pauvrissant les autres. Nous étions plutôt du dernier
groupe... Puis, il y a eu la loi littoral de 1986 qui a « ge-
lé » de nombreuses terres en bordure de mer, pour la
création de sentiers côtiers. Alors là, on a encore été tou-
chés...

Ses yeux bruns flottaient dans le vague, regardant au
loin sans vraiment voir.

— Au total, nous avons beaucoup perdu... Aujourd'hui, j'ai bien un terrain, mais il n'est pas
constructible.
— Ça n'a aucun sens ! Ils n'avaient pas le droit de faire
ça !
— Pourtant, ils l'ont fait... dit Armel, le ton affaibli.
— Et vous n'avez pas réagi ?
— Nous sommes bretons, quand même ! Nous avons
du caractère ! Bien sûr que nous avons tenté de récupérer
notre dû... Mais que pouvions-nous faire au bout du

compte ? Quand ce sont les autorités qui décident, on n'a absolument rien à dire.

Sandrine baissa la tête, réfléchit quelques instants, puis la releva pour regarder le paysage, mais son esprit voguait ailleurs. C'était inouï. Bien sûr qu'elle était heureuse, comme bien des touristes d'ailleurs, d'avoir aujourd'hui accès à la côte avec ses sentiers pédestres et ses sites d'observation, et sans ces lois et ce qu'on avait fait aux gens comme Armel, elle n'y aurait pas droit. Mais ce qu'ils avaient vécu alors qu'ils n'avaient rien demandé et surtout rien reçu en retour était une calamité. Certaines personnes, écœurées, avaient quitté l'île pour le continent et encore d'autres, comme Armel, s'étaient résignées et avaient pris un logement, acceptant que s'éteigne une flamme en eux. Dans le cas de la vieille dame, son séjour en hôtel, qui devait durer une semaine, s'était prolongé et l'amitié qu'elle avait développée avec la femme de Bili lui avait permis de prendre racine là, où, enfin, elle se sentait la bienvenue. Jusqu'à hier…

Après l'événement, le jour où elle avait tout perdu, elle n'était plus revenue ici, jamais, et avait développé une relation d'amour-haine pour cette île.

Elles restèrent là un bon moment, sans échanger quelque parole que ce soit. Juste là. Pour penser, regarder, admirer. Puis, Armel en eut assez.

— Allez, je me suis fait assez mal, on peut partir.

Sandrine n'attendit pas plus longtemps pour l'aider à remonter dans la voiture, mettre le moteur en marche et retourner à Le Palais. Maintenant, il lui pressait de découvrir Sauzon, les rochers de Port Coton et toutes les beautés intrigantes que recelait l'île.

Chapitre 22

C'était l'heure de la sieste et les yeux d'Armel se fermaient. Cette sieste, elle la faisait depuis dix-neuf ans maintenant, jour où elle avait cessé de travailler comme vendeuse dans une de ces boutiques de vêtements que l'on pouvait trouver place de la République juste sous son appartement. « Il y a encore beaucoup de monde pour l'heure », pensa-t-elle en regardant les acheteurs faire provision des denrées que leur offrait le marché. Mais à mesure qu'elle approchait de chez elle, elle ne retrouvait pas le calme auquel elle s'attendait. Elle entendait plutôt le bruit de perceuses et de marteaux qui s'activaient.

— Mais qu'est-ce qu'ils font chez moi ?

La porte de son édifice était ouverte. Armel la poussa. Sandrine la suivait

— Y a quelqu'un ?... J'ai jamais aimé que la porte soit laissée ouverte comme ça. Il y a beaucoup d'inconnus qui passent et qui pourraient entrer et me dérober tous mes trésors. On ne sait jamais.
— Les nouveaux propriétaires doivent rénover l'immeuble, dit Sandrine qui alluma la lumière pour tenter d'y voir plus clair.

En effet, les bruits venaient de l'étage.

— Bili aurait pu m'avertir au moins.

Les deux femmes entrèrent et laissèrent se clore la porte derrière elles, puis montèrent au premier palier et au deuxième. Elles saluèrent les deux rénovateurs qui s'attaquaient aux structures de l'appartement de cet étage et poursuivirent leur escalade jusque chez Armel. Cette dernière sortit ses clés de son sac à main, mais avant d'ouvrir sa porte, elle entendit du bruit, comme un grattement à sa gauche. Elle se retourna et émit un grand cri. Sandrine en fut toute secouée. Un homme dans la quarantaine, les cheveux frisottés noirs, la barbe non rasée était assis au sol. Il se recula quand il entendit les hurlements. Il était aussi pétrifié que l'étaient les femmes. Son regard volait dans le vague.

— Qu'est-ce que tu fais ici ? ! lui demanda Armel, tremblotante. Va-t'en ! Va-t'en !
— Vous ne pouvez pas me faire ça, pas encore une fois ! Vous n'avez pas le droit !

Il se leva, mais perdit pied et se raccrocha à la rampe d'escalier.

— Vas cuver ton vin, jeune homme. Allez va-t'en !

Sandrine observait la scène, stoïque et apeurée. L'intrus baissa la tête, vaincu, et étouffa un sanglot, en répétant :

— Vous ne pouvez pas me faire ça, pas encore. Pas encore… Mais qu'est-ce que vous avez à la place du cœur ? Une pierre ?

Armel se dépêcha de déverrouiller la serrure de son logement, fit entrer prestement Sandrine et ferma la porte en s'y appuyant le dos. Puis, elle attendit, anticipant une réaction agressive de l'autre côté de l'huis. Mais rien ne vint. Elle y colla son oreille et entendit des pleurs, puis plus rien et enfin des pas qui s'éloignaient lourdement et lentement dans les marches. Elle entra dans son salon, tremblotante et s'affala sur son divan.

— Ça va ? lui demanda Sandrine, empathique.

La vieille dame opina.

— Hé ben dites donc, vous en avez vécu des émotions depuis deux jours ! Est-ce que votre vie est toujours comme ça ?

Armel ne répondit pas... et Sandrine ne questionna plus. Elle ne lui demanda pas qui était cet homme qui les avait effrayées, d'où il venait ni ce qu'il voulait, mais visiblement, ce n'était pas la première fois qu'Armel le voyait. La vieille dame parlerait bien le moment venu ou peut-être pas du tout.

Le silence se fit pesant pendant de longues minutes, mais au lieu de s'apitoyer, Armel, comme toujours invincible et imprévisible, changea d'humeur en un rien de temps et leur prépara une potée bretonne, dont l'odeur se répandit dans tout l'appartement. Absolument divin ! Pour la préparer, la vieille dame avait besoin d'un jarret de porc judicieusement assaisonné qu'elle laissait toujours mariner dans des herbes fraîches et du jus de citron durant la nuit, de six saucisses bretonnes que Jacques lui choisissait et lui vendait avec amour, de six carottes, du même nombre de pommes de terre, de deux gros oignons, d'un petit chou blanc et d'un bouquet garni. Le fumet était impayable, mais l'appartement était un vrai four ! Sandrine dégoulinait de sueur !

— Comment voulez-vous qu'on mange ça par une chaleur pareille ?

— Ta, ta, ta… goûte et tu discuteras ensuite, lui répondit Armel en lui enfonçant presque la cuillère de bois dans la bouche.

Bien sûr, Sandrine goûta et connut un coup de foudre gustatif. Une fois de plus… Elle se foutait de transpirer ! Elle était parfaitement bien en caraco de toute façon.

— Gourmande… Tu devras attendre ce soir avant de le manger. C'est notre dîner.

Sandrine fit la moue. Puis elles parlèrent ainsi de tout et de rien et en attendant le repas du soir, sombrèrent dans un sommeil profond pour une sieste bienfaisante.

Chapitre 23

On cogna à la porte. Armel se réveilla en sursaut, s'extirpa du rêve dans lequel elle était plongée et se leva avec peine de son divan pour se rendre à la porte. Elle ouvrit.

Devant elle se tenait le petit Théophane qui, dès qu'il la vit, lui entoura la taille.

— Je t'aime, madame Armel. Je veux venir habiter avec toi.

Armel était à la fois émue et surprise.

— Mais qu'est-ce que tu fais ici, mon petit ? Où sont tes parents ? Tu t'es encore sauvé ?

Mais à peine eut-elle fini de poser toutes ces questions qu'elle entendit des pas dans l'escalier. En quelques minutes, on vit apparaître Justine et André, affichant un sourire gêné.

— Il s'ennuyait trop, on n'arrivait pas à le convaincre d'aller ailleurs. Est-ce qu'on pourrait rester un peu ?

Le cœur d'Armel se gonfla de bonheur.

— Bien sûr ! Je vous invite à dîner. Il y en a pour un régiment.
— On ne voudrait pas…

— Ta, ta, ta ! Dit, c'est comme fait, vous restez et c'est tout. Débattre avec une vieille dame de quatre-vingt-douze ans, c'est impoli, voilà tout.

Justine sourit. Sandrine fit connaissance avec les nouveaux amis d'Armel et, tous réunis autour d'un cidre dans le jardin de la vieille dame, ils racontèrent d'où ils venaient, mais surtout s'échangèrent quelques souvenirs de l'île.

— Nous avons vu deux menhirs aujourd'hui ! s'exclama le petit.
— Ce sont les seuls de l'île, dit Armel, et on se demande bien d'où ils viennent puisqu'il n'y a pas de granit ici et ils sont beaucoup trop lourds pour avoir été transportés à l'époque par bateau.

Elle baissa la voix et s'approcha du petit qu'elle prit sur ses genoux.

— Mais moi, je connais le secret.

Théophane écoutait avec attention.

— Tu sais qui ils sont ?
— Qui ? demanda Théo en se demandant bien pourquoi sa vieille amie parlait de « qui » alors que deux roches, c'était plutôt des « quoi ».

La vieille dame, toujours aussi passionnée et passionnante, se régalait déjà de ce qu'elle s'apprêtait à dire en faisant tournoyer le cidre dans son verre. Elle le fit languir.

— Ce sont des rochers madame Armel, pas des gens ! dit le petit, sûr de lui, trouvant que sa vieille amie dérapait totalement maintenant.

— C'est ce qu'on pense…

Elle trempa ses lèvres dans le cidre doux et sucré qui la rafraîchissait. À l'ombre de son palmier, elle pouvait tout de même sentir la chaleur de fin d'après-midi l'envelopper.

— Un jour, à Belle-Île, il y avait deux amoureux : Jean et Jeanne. Jean était un chantre, quelqu'un qui gagnait sa vie en chantant, tu sais comme Assurancetourix dans Obélix ?

Théophane, toujours pendu à ses lèvres, opina. Elle poursuivit :

— Jeanne, elle, était fille de druide. Ils s'aimaient si fort qu'un jour Jean demanda la main de Jeanne au père de cette dernière. Il la lui refusa net sans scrupules : « Comment oses-tu me demander la main de ma fille, toi simple chantre, alors qu'elle est digne fille de druide ? ! » « Mais je l'aime ! », répondit simplement le jeune homme. « L'amour ne suffit pas », tonna le père de Jeanne, toujours sans pitié.

Le petit écoutait l'histoire avec grand intérêt, les yeux ronds, la bouche presque ouverte. La dame poursuivit :

— « Dans ce cas, fais preuve de dignité et retire-toi pour laisser à Jeanne la chance d'avoir un amour digne du nom. » dit encore le papa, au grand désespoir de l'amoureux déchu et déchiré. Mais les deux amoureux étaient trop épris l'un de l'autre et se rencontrèrent une nuit pour se signifier une fois encore leur amour et dans le but d'unir leur destinée envers et contre tous, en secret… du moins le croyaient-ils. Mais ne désobéit pas à un druide qui veut ! D'un seul coup, ils furent changés en pierre pour l'éternité.

— C'est impossible, déclara Théophane, presque déçu d'avoir cru quelques minutes à cette étrange histoire.

— Est-ce que je t'ai déjà menti ?

Théo la regardait sans répondre. Il doutait, mais quelque chose au fond de lui voulait y croire.

— C'est écrit dans les livres d'histoire. Je te montrerai un jour.

— Toujours aussi bonne pour raconter, hein, ma Armel ?

Armel se retourna, surprise. Bien sûr qu'elle connaissait cette voix !

— Il y a longtemps que tu m'espionnes ? dit-elle au maire Micaël.

— Tu le sais, je t'espionnerai toujours un peu…

Le maire était accompagné d'une dame d'une cinquantaine d'années, un peu grassouillette, à l'air bon enfant. Ses cheveux gris, qui tombaient légèrement en broussaille sur ses épaules, la vieillissaient un tantinet, mais elle avait un air taquin qui faisait oublier ce détail.

Armel et Micaël avaient longtemps été amis. Puis, la vie étant ce qu'elle est, Micaël avait eu une femme qui la craignait et qui les avait éloignés. Pourtant, il n'y avait que de l'amitié dans le cœur d'Armel pour ce vieil homme moustachu aux cheveux gris. Il n'avait rien perdu de sa beauté de jeunesse, et son âme était toujours aussi pure. Il est vrai qu'il avait toujours eu un faible pour cette femme et c'était sûrement ce que redoutait son épouse. Pourtant, il n'avait rien à redouter ; Armel n'avait jamais pu aimer à nouveau depuis ses trente ans. Sans équivoque, et pour toutes sortes de raisons, sa vie s'était un peu éteinte au début de la trentaine...

— Qu'est-ce que je peux faire pour toi, mon cher ami ?
— Bili n'est pas là ?
— Je ne sais pas. Depuis que les nouveaux propriétaires ont pris possession des lieux, on ne le voit plus.
— Ils ont l'air gentil.
— Pour le faire croire, ils sont bons, marmonna Armel.
— Tu es trop dure, Armel. Laisse-leur une chance. Ce n'est tout de même pas de leur faute si Bili n'a pas bien su tenir ses finances. Ils ont simplement profité d'une occasion unique.
— Ils ont su profiter de lui, oui ! Je suis certaine qu'il leur a vendu l'hôtel à un prix dérisoire.
— De toute façon, poursuivit le maire, je ne suis pas là pour parler de Bili ni pour conter fleurette aux nouveaux propriétaires, je suis venu te présenter quelqu'un que tu pourras peut-être aider.

Marthe s'avança vers Armel qui peinait à se lever. Son arthrose la faisait davantage souffrir de jour en jour. Ses quatre-vingt-douze ans la rattrapaient à pas de géants.

— Je vous en prie, ne vous déplacez pas, dit l'étrangère en s'avançant d'un pas plus rapide.

Armel se rassit, Marthe lui présenta la main.

— Je m'appelle Marthe Lachance, de mon nom de fille Granger.

Elle avait un accent qui chantait les nouvelles colonies. Ce qui était le plus amusant pour Sandrine, c'est qu'il ressemblait à celui d'Armel. Les vieilles gens d'ici parlaient souvent un peu comme les francophones d'Amérique.

— Tiens, tiens, une petite Granger et pas d'ici en plus. Du Canada ?
— Du Québec, précisa Marthe. Ça lui faisait tout drôle aussi d'entendre une Française avec un accent semblable au sien.

Armel sourit. Toujours ce vieux débat : Canada – Québec. Mais elle le comprenait puisque quand des étrangers lui demandait si elle était française, elle répondait fièrement et sans hésiter : « Je suis bretonne »

— J'en ai connu une, autrefois, une Granger… Pas une Cana… une Québécoise. Non, la Granger que j'ai connue était bien bretonne… ou acadienne en fait.
— C'est pour ça que je te l'ai amenée, dit de loin Micaël. Allez, maintenant je vous laisse. Elle t'expliquera.

Et il prit congé d'elles, tout bêtement, après que Marthe l'eut remercié. Il faillit trébucher sur les chats qui passèrent dans le cadre de la porte, bougonna un bon coup et disparut accompagné des rires d'Armel.

— Il ne changera jamais, ce satané maladroit !
— Mais asseyez-vous donc, dit Armel en désignant une chaise à la nouvelle venue.
— J'oserais pas vous déranger, on peut se revoir plus tard. Je vois que vous êtes entre amis.
— Tous les gentils sont mes amis… précisa Armel, mettant tout de suite Marthe à l'aise.

Chapitre 24

Les invités de la vieille dame discutaient joyeusement en partageant maintenant le repas, le fromage, le pain et le vin. Quelle belle soirée de vacances ! Idyllique. Même Théo était plus calme. Il fabriquait des avions en papier avec Sandrine qui était passée maître dans l'art de confectionner jets, Boeing et autres objets volants bien identifiés. Le petit était fasciné et ils s'entendaient comme larrons en foire. Justine et André roucoulaient encore, comme si la grâce leur était une fois de plus accordée. Comme leur congé commençait bien ! Était-il possible qu'enfin le temps se soit arrêté ? Plus de rallyes à la garderie, au supermarché, plus de courses pour le ménage, la lessive, le repassage, plus de sprint pour les repas, plus de cris, de hurlements et de contrariétés. Plus de courses tout court. Ici, on faisait ce qu'on voulait, quand on le désirait.

— Je suppose que vous êtes là pour retrouver votre ascendance ? devina Armel en interrogeant Marthe, et que vous avez besoin de quelqu'un qui connaît bien l'île et ses habitants.

Marthe était interloquée. Elle bégaya :

— Co… comment avez-vous deviné ?
— Ne vous inquiétez pas, je ne suis pas voyante… C'est simplement que vous vous appelez Granger. Et des Granger, il y en a plusieurs dans notre histoire. Des Acadiens.
— C'est ce que j'ai compris, oui.

— Et vous cherchez qui ?

— En fait, hésita l'étrangère… C'est bizarre à dire… C'est moi que je recherche.

— Voulez-vous encore un verre de cidre ? De rouge ? De la verveine ? l'interrompit Armel.

Marthe sourit.

— Du cidre, je veux bien. Il est tellement bon ici.

— Le mien, c'est du cidre fermier ! Le meilleur !

Armel se leva pour se rendre à la cuisine de l'hôtel située à l'étage du jardin, à côté du bureau de Billi. Mais aujourd'hui, c'était Isabelle Lucas qui s'y trouvait et frottait le frigo à genoux. Elle manipulait son chiffon comme si elle libérait une quelconque frustration. La vieille dame n'y entrevoyait rien de bon.

— Bonjour, fit-elle en s'étirant pour prendre un verre dans l'armoire.

— Hum, hum, lui répondit sèchement son interlocutrice.

Elle se leva, le torchon à la main. Un chignon retenait ses épais cheveux blonds, mais une mèche rebelle retombait sur son front ruisselant de sueur. Elle tenta de la chasser du mieux qu'elle put du revers de la main et cracha enfin son venin de sa bouche :

— Vous savez… Maintenant que Bili est parti…

— Quoi ? ! Il est parti ? fit Armel, stupéfaite.

— Hier soir.

— Et pour où ? Pour Donnant ?

— Je crois pas… Il a dit qu'il prenait le dernier traversier.

Armel était envahie par la tristesse. Comment avait-il pu ? ! Sans aucune fête ! Pas même un au revoir ? ! Trente-six ans de vie commune, ce n'était donc vraiment rien pour lui ? Elle l'avait considéré comme son fils, lui avait fait tant de repas, l'avait écouté pendant les coups durs, même s'il parlait à peine. Elle avait été là, toujours là.

Elle prit appui sur l'armoire, décontenancée, alors que face à elle, sa nouvelle propriétaire semblait s'en foutre littéralement ou pire, prenait un certain plaisir à assister à cette déconfiture. Armel pensa à lui, à toutes ces années. Les images défilaient à vive allure. Au fond, elle le reconnaissait bien ; Bili avait toujours fui ses responsabilités, incapable de confronter ses sentiments, abandonnant l'autre sans scrupule. Il n'avait eu aucune considération pour son vieil âge et pourtant, le cœur d'Armel aurait pu s'arrêter d'un seul coup en apprenant son départ si précipité.

Elle était tellement partie dans ses pensées qu'elle n'entendait plus la voix de celle qu'elle considérait comme la pimbêche responsable de son malheur. Aussi, Isabelle répéta-t-elle :

— Vous m'avez entendue ? Nous sommes dans un hôtel ici, et moi, je ne suis pas Bili. On va fonctionner autrement à partir de maintenant. Ma cuisine, c'est ma cuisine. C'est pour les clients. Idem pour le jardin. Finis les repas entre amis si ce n'est pas ici qu'ils ont commandé leurs plats. Je cuisine très bien vous savez.

Armel leva la tête. Ce que la propriétaire venait de dire résonnait entre ses deux oreilles et elle avait du mal à assimiler l'information... ou plutôt à y croire. Son existence venait de changer du tout au tout. Elle le savait bien. Elle serait confinée dans son petit logement dont elle ne pourrait sortir pour manger puisqu'elle ne pouvait se permettre de se payer chaque repas au restaurant. En plus, la Lucas devait les faire au prix fort ses repas ! Un grand chagrin la submergea ; faire la cuisine pour les autres, c'était toute sa vie et il lui était impossible de recevoir tous ces gens dans son minuscule logement. Encore moins par cette chaleur !

Elle regarda Isabelle avec des yeux perdus et terriblement tristes, assez pour en ébranler la propriétaire, ce qui n'était pas peu dire. Elle tenta de bredouiller des semblants d'excuses.

— Je... Je n'ai pas le choix vous savez... Si on veut que les affaires tournent mieux... Il faut ce qu'il faut. Vous avez vu la concurrence autour d'ici ? Les autres commerces fonctionnent, eux... Et vous allez voir, je cuisine très bien.

Mais Armel la quitta sans mot dire, le verre à la main, sans même avoir pris le temps de le remplir. Sandrine la vit arriver vers la table d'un pas mal assuré et sentit tout de suite que quelque chose n'allait pas. Aussi s'empressa-t-elle d'aller la rejoindre.

— Qu'est-ce qui se passe Armel ?

La vieille dame leva la tête pour la regarder, mais ne la vit pas.

— Armel, ça va ?

Ses hôtes cessèrent de parler et assistèrent à la scène. La nonagénaire les regarda un à un avant de déclarer :

— C'est notre dernier repas… À partir de maintenant, je n'ai le droit d'occuper cet espace que si je paie. Même chose pour vous.

Le silence était écrasant et révélateur. Tous savaient ce que cette sentence représentait pour elle. On lui arrachait un peu de cette liberté si chèrement gagnée au fil des ans. Sandrine intervint toujours avec sa bonne humeur, même si, à l'intérieur d'elle bouillonnait une rage indicible :

— Vous avez encore un logement ! Allez, on monte tous et on fait un immense pique-nique chez vous !

— Oui, un pique-nique ! s'exclama Théophane qui, bien sûr, était toujours partant.

— Mais il n'y aura plus de soleil, plus de vent, plus d'arbres… se désolait la nonagénaire et il fera chaud.

— Mais il y a encore vos oiseaux qui viennent vous voir. Si on ouvre grand les fenêtres, on va pouvoir sentir le vent et les entendre vous saluer.

Armel sourit à la vue de toute l'énergie que dégageait la jeune fille.

— Allez, dit André en refermant les différents plats de service qu'Armel avait descendus. On remonte tout.

— Moi, je ramène aux cuisines les couverts qu'on n'a pas utilisés. Tu m'aides ? demanda Sandrine à Théo.

— Ouaip, fit fièrement le môme.

En deux temps, trois mouvements, la table fut débarrassée. Isabelle assista à ce coup de vent et en fut même mal à l'aise.

— Vous… vous auriez pu attendre de finir votre repas, dit-elle à Sandrine qui venait de la rejoindre. Je… Ce n'était… C'était pour plus tard… Vous comprenez…

— Pourquoi remettre à demain ce qu'on peut faire aujourd'hui ? lui lança Sandrine, froide et sarcastique.

— Vous… vous pourrez consulter dès ce soir le menu de la semaine sur le tableau. Je fais des spécialités bretonnes pas piquées des hannetons.

— C'est ça, fit sèchement Sandrine en déposant la dernière pile d'assiettes dans l'évier. Nous viendrons faire la vaisselle après avoir terminé notre repas, si, bien sûr, vous n'y voyiez pas d'inconvénients.

— Bien sûr que non, se rattrapa la propriétaire avec une sincérité feinte, craignant plutôt de se mettre à dos de potentiels vacanciers.

L'appartement d'Armel prit rapidement des airs de camping, mais l'ambiance était on ne peut plus chaleureuse. Théo mangeait sur les genoux de Sandrine alors que Justine terminait son fromage sur ceux de son mari, ce qui faisait bien rigoler leur fils. Ainsi, tout le monde trouvait sa place à la table à cartes d'Armel, désolée par les événements.

— Si j'avais pu prévoir, je ne vous aurais pas invités. Ça n'a aucun sens, vous êtes tout serrés comme des sardines.

— On aurait manqué un bien beau repas. Et délicieux en plus ! Ça aurait été plate, constata Marthe qui trouvait la scène sympathique.

— Et j'aime bien les sardines ! fit Théo.

Marthe, qui n'était venue ici que pour discuter deux minutes avec la vieille dame, se trouvait déjà presque partie intégrante d'une grande famille qui l'avait immédiatement adoptée.

— Et c'est chouette le Canada ? demanda Théo.

— Très chouette. Il y a de la neige presque tout l'hiver. On peut faire des bonhommes de neige, du patin à glace, de la motoneige, du ski.

— Mais il fait froid, ajouta André.

— De moins en moins, précisa Marthe. Avec les changements climatiques, le réchauffement de la planète, ça a tendance à se réchauffer et les tempêtes de neige à se faire de moins en moins fréquentes. En tout cas, c'est l'impression que j'ai... mais peut-être que je rêve.

— J'aimerais bien aller au Canada, ajouta le petit, les yeux ronds et rêveurs.

— Mais vous, ma petite, il y a bien quelque chose qui vous amène. Allez ma fille, dites, dites. Elle avala sa dernière gorgée de cidre.

— Ben... depuis que je suis toute petite, je fais le même rêve... Et depuis quelque temps, c'est devenu une obsession...

Elle but, à son tour, une gorgée de cidre.

— Et c'est en regardant un documentaire sur Belle-Île-en-Mer chez moi que j'ai eu comme une illumination. J'ai été littéralement soufflée par les images que j'ai vues.

L'assistance écoutait attentivement le récit de l'étrangère. Théophane remuait et Sandrine peinait à le calmer. Il voulait absolument se pencher pour regarder sous la table.

— Mais qu'est-ce qu'il y a donc là ?

Justine et Armel sourirent. Elles savaient bien ce qui le titillait.

— Il y a des poissons sous la table. Est-ce que je peux voir les poissons, madame Armel, dites ?

— Il y a des poissons sous la table ! fit Sandrine, inter-loquée en s'apprêtant à lever la nappe.

— Ne fais pas ça, malheureuse ! cria Armel. Ça les tue-rait.

Sandrine retira sa main, comme si on venait de la brû-ler.

— Mais qu'est-ce que c'est que cette histoire ?

— Tu comprends pas ? dit le petit, comme si c'était évident. Ce sont des poissons qui peuvent pas voir la lu-mière, sinon, ils meurent.

Sandrine et les autres invités regardèrent Armel qui ap-prouva :

— Il a raison. Je vous montrerai plus tard.

— Non, tout de suite, insista Théophane.

— Non, Théo, on est en plein repas. Attends après, in-tervint son père.

Le gamin grommela en se tortillant sur les genoux de Sandrine, qui sentait bien ses petites fesses pointues et décida de s'installer avec lui par terre quelques minutes, question de se reposer. Ils jouèrent aux cartes en silence, ce qui ne l'empêcha pas d'écouter en même temps l'histoire de Marthe, qui l'intéressait beaucoup.

— Poursuivez, Marthe, insista Armel en sirotant main-tenant le verre de chouchen qu'elle venait de se servir.

— Vous en voulez ? demanda-t-elle à André et Justine en le levant dans les airs.

— Je dirais pas non, répondit André, ravi.

Justine lui sourit, complice. Marthe se lança :

— J'écoutais un documentaire sur des Acadiens chassés de Nouvelle-France par des Anglais. On voyait des photos de gens qui débarquaient des bateaux à Belle-Île après que le roi de France leur eut donné des terrains ici, et c'est là que j'ai été frappée par les images. Je revoyais les images de mes rêves. C'est comme si c'était ma vie à moi que je revivais.

— Qu'est-ce que vous voulez dire ? demanda Justine, intriguée.

— Dans mes rêves, je revoyais toujours le même bateau rempli de gens, puis je revivais ce sentiment d'oppression, de tristesse et d'angoisse en arrivant dans un pays que je retrouvais après de nombreuses années. Tout le monde avait des costumes d'époque... Toujours dans mes recherches, j'ai découvert que je rêvais des années 1700. C'est quand même étrange... Habituellement, on rêve de ce qu'on vit, de notre présent... Moi je voyais invariablement cette maison en pierre des champs... En visionnant l'émission sur Belle-Île, j'ai reconnu le même phare que dans mes rêves, celui qu'on voit quand on entre en bateau à Palais, puis la Citadelle Vauban. Assez impressionnant. Si vous saviez ce que ça fait de revoir en vrai ce qu'on voit depuis toute petite en rêve alors qu'on y est jamais allé !

— Vous avez peut-être vu une émission sur Belle-Île étant petite ? dit Sandrine.

— Joue ! dit Théo en la rappelant à l'ordre.

— Théo, laisse-la un peu.

Marthe poursuivit :

— Peut-être... mais c'est plus réel que ça. C'est étrange à expliquer. C'est comme si j'y avais vraiment été.

— Vous pensez que vous revivez une ancienne vie dans vos rêves ? demanda Justine.

André, sceptique, écoutait par respect, mais se délectait plutôt de son hydromel.

— Je le sais que ça peut paraître bizarre, mais je suis portée à y croire. Quand j'en rêve, c'est tellement vrai, tellement récurant. En tout cas, il fallait que je fasse ce voyage.

Elle s'adressa particulièrement à Armel :

— J'ai visité la Citadelle dès que je suis arrivée… mais la clé n'est pas là. Je n'ai rien ressenti de particulier. Il faut que je retrouve cette maison. Absolument…
— C'est pas pour briser la fête, s'aventura encore André, mais en supposant que vous étiez là vers 1765, votre maison n'a plus beaucoup de chance d'être encore debout aujourd'hui.

André était un pragmatique et ça énervait Justine qui, elle, était rêveuse au fond d'elle-même. Le fait d'avoir eu un enfant l'avait ramenée à des valeurs plus terre-à-terre, mais elle se prenait souvent à rêvasser, à imaginer encore des contes de fées. C'était probablement ce qui lui permettait de tenir le coup parce que la vie avec Théophane n'était pas toujours rose, d'autant que son père ne supportait pas son côté lunatique. Il ne le comprenait, à vrai dire, tout simplement pas.

Sans s'en rendre compte, Justine lâcha la main de son conjoint et se croisa les bras.

— Il faut voir. C'était très bien construit à l'époque, dit Armel.
— Je le sais pas, je m'aventure… Je le sais pas trop, répéta André, repentant. Il reprit la main de sa femme.

Marthe jouait avec son verre qu'elle tenait entre ses deux mains en le fixant. Elle poursuivit :

— On verra bien. Si je trouve rien, j'aurai au moins passé de belles vacances, parce qu'à ce que tout le monde dit Belle-Île, c'est le rêve du citadin en pré burn-out !...
— Burn-out ? demanda André.
— Épuisement professionnel, traduisit Marthe... ou épuisement tout court. Besoin vital de changer d'air, de voir si on existe encore pour autre chose que la routine.
— Vous êtes chanceuse... Vous auriez pas besoin d'aide dans vos recherches, par hasard ? demanda Sandrine, enthousiaste et toujours aussi curieuse. J'ai juste ça à faire.
— Je pourrais même vous simplifier la vie, ajouta Armel en jouant avec de la mie de pain.

Elle adorait la texture de la mie qui se défaisait entre ses doigts. Elle aimait retrouver l'effet de pâte que l'on avait pétrie. C'était tellement rare que d'un simple mouvement on puisse faire revenir un élément cuisiné presque à ce qu'il avait été avant d'être apprêté. Le pain cuit, après qu'on l'eut pétri longuement entre ses doigts, redevenait pâte... à quelque chose près.

— C'est ce que le maire m'a dit, dit Marthe, que vous pourriez m'aider.
— Bizarre d'ailleurs qu'il ne vous ait pas mené sur cette piste-là tout de suite..., dit Armel en sourcillant. Mais bon... Pol, c'est le marchand de fromages. Il vend le meilleur fromage de l'île, expliqua-t-elle aux autres convives... et c'est aussi le plus bel homme de la région, à mon avis. En tout cas, le plus gentil.

Sandrine écoutait en jouant avec Théophane, qui bougeait de plus en plus comme un petit vermisseau.

— Je peux voir vos poissons Armel maintenant ? Je peux les voir ? Dites, je peux les voir ?

— Calme-toi, lui répondit sa maman.

Armel sourit et lui frotta les cheveux.

— Je crois que ce serait plus sage si on le faisait maintenant. Ça l'occuperait.

Elle se leva sans attendre l'accord des parents, alluma quatre bougies et ferma les volets.

— Mais qu'est-ce qu'on fait au juste ? demanda André. Pas un cérémonial vaudou ou quelque chose du genre ?

— Tu vas voir, papa.

Théophane trépignait. Armel débarrassa rapidement la table. Les autres convives l'imitèrent et en moins de temps qu'il ne le faut pour le dire, il ne restait plus que la nappe. La vieille dame éteignit toutes les chandelles et sortit sa mini lampe de poche, puis retira la nappe sous le regard ébahi des invités réunis. Quel aquarium !

— C'est chouette, hein ? fit Théophane, fier de son coup.

— C'est merveilleux ! déclara Marthe.

Ils admirèrent ces poissons insolites, si charmants parce que parfois si hideux, pendant de longues minutes, discutèrent de leur survie presque miraculeuse dans cet univers restreint, puis laissèrent le petit se faire ses propres histoires. Armel couvrit l'aquarium et rejoignit les adultes qui venaient de passer au salon pour s'en faire d'autres. Elle alluma d'autres bougies, puis leur servit le chouchen que tous appréciaient tant.

— Où en étais-je ? demanda Armel.

— Vous parliez de Pol, lui rappela Sandrine.

— Ah oui, c'est ça.

La nonagénaire replaça son pull et s'assit confortablement dans le divan.

— Pol est non seulement un bon fromager, mais c'est aussi un amoureux de son île. Il la trouve si belle qu'il l'a prise en photo au complet et quand je dis au complet, c'est au complet ! Chaque plage, chaque falaise, chaque point de vue, chaque coucher de soleil et chaque maison, il les a captés grâce à l'œil de son appareil photo.

— C'est vrai ? s'étonna Sandrine.

— Très vrai.

— Hé ben dites donc. Je veux bien croire que votre île n'est pas grande, mais ça doit lui en faire des albums chez lui !

— Pas mal, acquiesça Armel. D'autant qu'il est l'archiviste non officiel de la ville. Non seulement il prend des gens en photo, mais quand une vieille personne sans famille meurt, comme quand je mourrai par exemple, c'est à lui que sont données les photos et les missives que cette personne a amassées au fil des ans. Rien n'est jeté.

Les invités étaient fascinés.

— C'est une vraie richesse ! s'exclama Marthe.

— Oui et en plus d'être passionné, tout ça est bien pratique. Imaginez, vous n'aurez pas à visiter l'île au complet, même si vous pourrez le faire par la suite, mais pour commencer, pour vous situer, vous pourrez tout simplement parcourir ses nombreuses photos et vous rapprocher de votre but, confortablement assise chez lui. Vous verrez si vous vous souvenez d'autres lieux.

— Je sais pas comment vous remercier, dit Marthe, les yeux pétillants. Si vous saviez comme ça me tient à cœur !

— Je le sais, ça se sent bien... dit Armel en souriant.

— Je ne veux pas m'imposer... mais... est-ce que... est-ce que je peux vous aider ? surenchérit Sandrine, hésitante.

— Certain que vous pourrez venir avec moi ! Ce sera plus l'fun de découvrir ça ensemble.

— Merci, merci, merci ! se réjouit la jeune femme. Quand est-ce qu'on commence ?

— Demain, si tu veux. Je suis venue pour ça.

Sandrine était ravie. Ses vacances prenaient soudainement des airs d'aventure et elle n'aurait jamais pu espérer mieux. C'était ça la vie d'Armel. Cette femme était une magicienne : elle faisait apparaître le bonheur.

Chapitre 25

Pol avait choisi de les rencontrer au restaurant *Le petit baigneur* de la ville de Sauzon. Il y avait ses aises et ça lui permettait de s'éloigner un peu de Palais où il passait, après tout, le plus clair de son temps. Marthe, Sandrine et lui s'enfilaient quelques huîtres et un verre de muscadet. L'ambiance était bonne. Sandrine et Pol prenaient visiblement du plaisir à se connaître, mais Marthe ne se sentait pas pour autant comme la cinquième roue du carrosse. Sandrine parlait de ses études à Angers, Marthe du Québec alors que Pol racontait l'île... Et il la racontait si bien. Il faut dire qu'avec ses cheveux blonds, sa casquette marine, ses yeux bleus et la cigarette roulée qu'il tenait entre ses doigts, il avait le charme d'un jeune marin breton auquel Sandrine avait du mal à résister. Les huit ans qui les séparaient ne semblaient pas du tout les déranger ; il y avait déjà une énergie électrisante entre eux. Marthe le comprenait parce qu'avoir eu la vingtaine de Sandrine, elle aurait bien tenté de le conquérir aussi.

Sandrine avait vue sur le port de Sauzon où de nombreux bateaux, prisonniers de la marée basse, étaient amarrés. Des pêcheurs travaillaient à réparer la mécanique ou la coque de leur embarcation et tout autour, des visiteurs flirtaient avec les menus des restaurants de la place. Ce village avait un charme particulier. En contrebas, le port veillait au bon fonctionnement de sa petite ville au parfum de méditerranée alors qu'en façade, faisant briller leur reflet dans l'eau brunâtre, les marchands de glace, de magazines, de vêtements, de souvenirs, les restaurants et crêperies s'en donnaient à cœur joie pour mener leur opération de charme. Une jeune fille aux longues jambes dénudées passa devant le dernier restaurant tout au bout du quai, près d'un petit phare qui attendait ce soir pour voir arriver les pêcheurs. Ils débarqueraient avec leurs poissons encore frétillants de vie et les étaleraient pour les vendre au plus offrant. Derrière elle, sans qu'elle y porte attention, un photographe accroupi, son appareil photo au cou, captait son image en croquant la ville en arrière-plan. Tout discret avec pourtant sa vareuse rouge et sa casquette beige, il se fondait dans un décor de carte postale. Marthe prit son appareil et l'immortalisa. Le photographe, photographié. L'inconnue s'éloigna au bout du quai pour scruter le menu de l'Hôtel du phare en se délectant d'avance de ce qui allait sûrement constituer son repas. Un chien blanc l'accueillit tout excité, puis ce fut le tour d'un chef gentillet, un grand gaillard aux cheveux châtains, qui fit tout pour l'attirer dans son antre.

— Ce sont les meilleurs fruits de mer du coin ! Vous ne pouvez pas vous tromper. Et mes huîtres, y goûter, c'est les adopter !

La jeune femme sourit, gênée. Ça sentait le flirt à des lieues à la ronde. D'ailleurs, derrière le cuisinier, un chef martiniquais, qui voyait aussi clair dans son jeu, rigolait de bon cœur en coupant des pommes de terre. Nul doute, une ambiance de franche camaraderie régnait dans ce bistroquet. Que la vie semblait bonne ici !

Dans le haut de la ville, les maisons et gîtes du passant, tous aux couleurs de Belle-Île, régnaient en maître avec leurs centaines d'années d'existence ; peintes en bleu clair, en rose parfois, ou en blanc, souvent fleuries, elles semblaient faire un clin d'œil au passant curieux et avide de beauté. Pol étira ses jambes sous la table et but une gorgée de vin. Chaque fois, sa déglutition s'entendait et Sandrine devait tout faire pour garder son sérieux. Quand il mangeait aussi, ça faisait du bruit. Même des huîtres !

— Mes parents habitent Bangor et toute mon enfance, ils m'ont bercé des histoires de l'île… J'aurais pu m'en lasser, mais ça a fait tout le contraire. Je me suis mis à m'y intéresser très sérieusement. Il y avait toujours comme un halo de mystère qui entourait ce qu'ils me racontaient.

Le serveur déposa devant eux un autre plateau d'huîtres. Sandrine, dont le ventre applaudissait immanquablement devant toute bonne chère, était ravie : elle avait faim. Elle en prit une et l'arrosa de citron, de Tabasco, puis la dégusta. Pol ne put s'empêcher de croquer ses lèvres des yeux. Il n'avait jamais trouvé rien de plus sensuel que de regarder une fille manger des huîtres, aussi dégoûtant ce crustacé puisse-t-il paraître aux yeux de beaucoup… Était-ce un hasard s'il les avait commandées pour cette rencontre ? Sandrine ne remarqua pas son regard insistant, sans quoi elle aurait été prise d'une grande gêne. Elle était beaucoup trop occupée à se rassasier !

— Et qu'est-ce qui vous a le plus marqué ? demanda-t-elle, la bouche pleine.
— Je t'en prie, on se tutoie parce que là, j'ai l'impression d'avoir cent vingt-deux ans.

La jeune femme sourit timidement et acquiesça.

— Ce qui m'a marqué le plus, continua Pol en réfléchissant et en se grattant le menton dont la repousse de la barbe paraissait déjà, bien qu'elle fût rasée du matin, je crois que c'est l'histoire des marchandises du port. Vous savez, dit-il aux deux femmes assises face à lui, les bateaux en provenance de l'Amérique, de l'Afrique, de l'Angleterre, passaient au large de Belle-Île pour se rendre en France avec leur cargaison ou encore filaient jusqu'aux États-Unis pour ravitailler les colonies. Mais certains marins ne savaient pas toujours comment naviguer à l'approche de Belle-Île avec ses récifs bizarrement situés, ses courants traîtres et sa mer parfois déchaînée. Résultat : les bateaux mal dirigés s'approchaient trop de la côte, étaient comme engloutis par ses tourbillons et finissaient éventrés par les rochers... et toute la marchandise échouait sur la côte, au grand bonheur des habitants plus souvent aux prises avec la faim qu'autre chose.

Il prit une dernière huître et se roula une cigarette.

— À chaque fin de tempête, ils se lançaient sur la plage et attendaient... et souvent ça venait : des oranges, des vêtements, des épices, de la coutellerie... Bien sûr, le douanier savait ce qui se tramait et ne pouvait pas laisser passer de telles choses. Donc, dès qu'il était au courant d'un naufrage, il se mettait à chercher les marchandises à tout vent pour faire payer les frais de douane sur marchandise reçue, mais le pauvre arrivait toujours trop tard. Sachant que les habitants les avaient sûrement pris, il faisait le tour des villages avoisinants pour chercher les coupables et les faire payer ! Mais évidemment, le silence était d'or. À tout coup, le douanier pénétrait dans les chaumières et quand il voyait une belle assiette, un bijou ou un vestige d'outre-mer, il interrogeait, suspicieux : « Et où avez-vous pris ça ? » Invariablement, les visités répondaient « C'est Monsieur Le Port qui me l'a offert, mais je ne me souviens pas de son prénom. ». Monsieur Le Port, ce n'était pas vraiment un mensonge puisque les denrées et objets avaient atterri au port (dont le sens prenait pour l'occasion certaines libertés), et le douanier devait s'avouer vaincu à chaque fois. Il ne pouvait vérifier si les heureux habitants disaient la vérité.

Sandrine et Marthe se régalaient tout autant de cette histoire que des huîtres devant elles auxquelles elles étaient loin d'avoir renoncé.

— Et vos parents ont eu quelque chose ? demanda Marthe, la bouche pleine.
— Mes grands-parents oui. Et c'est ce qui m'a le plus marqué.

Il tira une bouffée. Même Sandrine qui n'aimait pas la cigarette, son odeur et en général les gens qui fumaient, devait avouer qu'il donnait envie de s'en griller une.

— En plus des fruits tropicaux qu'ils ont reçus et qui ont souvent fait leur Noël, un jour, ils ont trouvé une barrique bien spéciale dans laquelle était enfermé... Devinez...

Les filles prises au dépourvu tentèrent quelques réponses :

— Un trésor de pirates ! s'essaya Sandrine.
— Non.
— Un corps de pirate ? ajouta Marthe, en rigolant.
— Non. Mais tu brûles.
— Hein ?...
— Un corps de Chinois ? essaya encore la jeune fille.

Pol rit, éteignit sa cigarette.

— Non... Mais tu brûles encore.
— Je donne ma langue au chat, dit Marthe.
— Moi aussi, surenchérit Sandrine.
— Vous n'êtes pas très persévérantes les filles, fit Pol en se servant un autre verre de muscadet...

Il allongea ses bras en faisant tourner le vin dans son verre.

— Ma grand-mère trouva une grosse caisse emprisonnée dans les algues. Elle était énorme et très lourde. Aidée de mon oncle, de mon père et de ma mère, ils la décoincèrent et la roulèrent dans le sable jusqu'au bord de l'eau. Ce trésor avait échoué sur la plage de Donnant.

Sandrine aimait sa voix. Et elle commençait à avoir la tête qui tournait, ce qui la faisait apprécier encore plus son prochain et enrayait ses inhibitions. Le soleil tapait fort sur sa peau. Tout ça était si enivrant… Pol poursuivit :

— Ils se sont rendus au village pour trouver des outils et ouvrir cette immense caisse.

Sandrine savait qu'il faisait exprès pour les faire languir, pour faire durer son plaisir.

— Ils ont pris les pinces, mais la boîte était très difficile à ouvrir. Il y avait beaucoup de clous et le bois était dur.
— Allez, qu'est-ce que c'était ? rigolait-elle, en trépignant d'impatience.

Il croisa ses mains et s'avança vers ses interlocutrices en baissant la voix. Il était au milieu. Sandrine et Marthe se rapprochèrent pour mieux entendre. Elles s'amusaient. Il continua :

— Autour d'eux, il y avait beaucoup d'enfants et de curieux qui se demandaient ce que pouvait bien être ce trésor. Ils n'en avaient jamais eu un aussi important.
— Nous aussi on se demande, ajouta Marthe en adressant un clin d'œil complice à sa copine en face de la table.

— Et la boîte s'est ouverte… C'était… C'était.

— Grrr… Grand Dieu, vas-tu enfin nous dire ce que c'était ? s'impatienta Sandrine.

Il riait.

— Trou de mémoire, je m'en souviens plus…

— Arrête ! lança Sandrine d'une voix aiguë.

…

— C'était un singe, révéla enfin le fromager. Un vrai singe enfermé dans de l'alcool.

— Un singe !! s'exclama Marthe.

— Hé oui ! Je sais pas vers quelle destination il se diri- geait, peut-être vers un de ces riches dignitaires français ou américains qui voulait en faire son trophée. Toujours est-il que mes grands-parents se sont retrouvés avec un singe mort dans un bocal, chez eux. Et inutile de dire que ce bibelot était plus difficile à cacher que le reste et qu'ils ne pouvaient pas dire au douanier que c'était Monsieur Le port qui le leur avait offert.

— Qu'est-ce qu'ils en ont fait ? demanda Sandrine, in- triguée.

— Je crois qu'ils l'ont enterré. Ma grand-mère aimait beaucoup les animaux, même si, par la force des choses, elle tuait chaque année ses cochons pour nous faire de la nourriture pour l'hiver. N'empêche, elle estimait que le singe se rapprochait tellement de l'être humain qu'il devait avoir une âme et qu'il se devait, par conséquent, d'être enterré. Ce qu'ils ont fait.

— Ils ont enterré le singe dans leur jardin ? s'intéressa encore Sandrine.

— Hé oui…

— On va fermer, Pol, les interrompit le serveur. Il est 14h.

Pol vida d'un trait son verre de vin, encourageant les deux femmes à en faire autant. Marthe préféra laisser le sien à moitié plein.

— Toujours est-il que les restes du singe, qu'ils ont prénommé Popol, sont encore sur leur terrain, dit-il en se levant.
— Ils l'ont appelé Popol ? ! s'étouffa Sandrine en se levant pour le suivre.
— Oui ? Quoi ?

Sandrine était tordue de rire.

— Mais tu t'appelles Pol, non ?
— Je le sais, fit Pol en sortant du restaurant, la moue au visage. Ils n'ont jamais eu d'autres petits-enfants. J'imagine que ça leur donnait l'impression de me créer un faux petit frère.

Sandrine ne pouvait s'empêcher de rire, même si elle savait qu'elle risquait de le vexer. En fait, il n'en fut rien. Même s'il fit semblant d'être offusqué, il riait lui-même de cette histoire abracadabrante.

Ils marchèrent, plus ou moins droit d'ailleurs, le long du quai, s'achetèrent une glace et s'assirent sur un banc en regardant les pêcheurs travailler. Sandrine et Marthe avaient ceci en commun qu'elles savouraient cet instant qui leur semblait se dérouler au ralenti. Bien sûr, ici aussi tout le monde travaillait. Mais on aurait dit qu'ils avaient mis leur machine corporelle à une vitesse beaucoup moins élevée que celle des habitants des grandes villes, une vitesse normale en somme. Sandrine, qui travaillait comme analyste informatique dans une firme parisienne, en savait quelque chose. Elle réalisait à ce moment précis qu'à peine à vingt-six ans, elle avait déjà les nerfs à bout. Elle savait pertinemment qu'elle ne pourrait tenir à ce rythme plus longtemps. Et si elle vendait des fromages ? Pour Marthe, c'était un peu différent. Montréal, ce n'était pas Paris et elle était secrétaire dans une école primaire du Plateau Mont-Royal, ce qui lui permettait de rester les deux pieds sur terre, collée aux vraies réalités. N'empêche, elle devait reconnaître que le rythme ici n'était pas le même qu'en ville : le bruit, le mouvement, l'humeur. Qui a dit que les Français étaient chiants ? Pas à Belle-Île, en tout cas. Les Bretons rappelaient à Marthe la gentillesse caractéristique des Québécois.

Leur glace terminée, Marthe, Sandrine et Pol pouvaient passer aux choses sérieuses.

Chapitre 26

Pol vivait dans la maison de ses parents décédés de Kervarigeon, une ancienne maison bretonne en pierres en bordure d'un chemin de campagne. En face, la saluait une ferme avec des vaches et derrière, une grande cour avec une grange et de nombreux arbres. Il avait encadré son jardin de chatoyantes fleurs vivaces. Sandrine était émerveillée par cette diversité. De la giroflée des dunes aux ajoncs d'Europe, en passant par les Olympes et les mimosas, sans compter les annuelles que Pol y ajoutait régulièrement. C'était comme ça ici : dans un paysage simple et parfois plane, on retrouvait la couleur exploitée par la main de l'homme. À Belle-Île, les rebords des maisons souvent blanches regorgeaient de fleurs éclatantes bleues, rouges ou roses. Sandrine fit le tour du jardin en questionnant Pol sur le nom des espèces alors que Marthe s'intéressa plutôt à l'immense jardin potager qu'il s'était fait : poireau, laitue, herbes fraîches, concombres, haricots, carottes, brocolis, sans compter les potirons, les courgettes, les rutabagas et les pommes de terre qui allaient être mûres dans quelques semaines.

Dans le coin droit de la cour, dans un poulailler, picoraient environ sept poules, trois poulets et fièrement, un seul coq. Derrière, une chèvre passait la tondeuse. Et le calme… Tant de calme. À peine entendait-on un léger vent caresser les feuilles des arbres. La sainte paix, une bouffée d'air frais pour les deux filles propulsées, en deux temps, trois mouvements, dans le siècle dernier.

Pol les fit entrer chez lui et pour y arriver, on devait passer par la cour arrière, c'était la seule porte. L'intérieur était très sombre, comme le sont souvent les vieilles maisons bretonnes. Les planchers de bois et les murs recouverts de photos noir et blanc donnaient vraiment l'impression aux deux femmes de faire un voyage dans le temps. Une imposante cheminée les saluait dès leur entrée. Marthe appréciait réellement ce qu'elle voyait et qui ne ressemblait pas aux maisons québécoises rustiques, plus étriquées peut-être. Elle se sentait dépaysée. Les matériaux étaient plus riches, les pierres utilisées pour la construction, différentes. Et l'odeur aussi se distinguait. Elle sentait l'humidité, mais ce parfum ne lui était pas désagréable. Ça semblait plutôt naturel. La campagne, quoi ? ! La demeure de Pol comportait deux divisions et deux étages. Un lit occupait la pièce d'entrée, qui communiquait avec la cuisine, une minuscule cuisine munie d'un petit frigo (encore plus petit aux yeux de Marthe, habituée au gigantisme des objets québécois), d'une solide table de bois, d'une cuisinière au gaz et d'une armoire pour entreposer les denrées. Or, malgré l'espace qu'offrait cette maison, Pol n'habitait que deux pièces : la cuisine et sa chambre-bibliothèque-boudoir qui servait à entreposer des objets, des livres, des papiers, des photos. Ça sentait la passion à plein nez ici.

— Voulez-vous quelque chose à boire ? demanda-t-il en ouvrant le frigo, en ôtant sa casquette et en se grattant la tête.

Il se sortit une bière.

— Je prendrais la même chose, dit Sandrine.
— As-tu quelque chose sans alcool, demanda Marthe, un peu plus sage.
— Vittel fraise ?

— Allons-y pour ça.

Pol déboucha les deux bières, servit celle de Sandrine dans un verre alors qu'il se désaltéra à même la bouteille. Il déglutit encore bruyamment. La chaleur de l'après-midi commençait drôlement à réchauffer leur corps. La première gorgée que prit Sandrine fut délicieuse. Pol servit ensuite le Vittel à Marthe, puis sortit un poulet déplumé du frigo en le brandissant. Il était particulièrement gros et dodu, rien à voir avec ces poulets vendus deux pour le prix d'un au supermarché.

— Je vous présente Georges. Un amour de petit poulet. Vous restez à manger ce soir ?

Sandrine grimaça.

— Dit comme ça, je ne suis pas convaincue que tu désires vraiment qu'on reste…

Pol rit.

— C'est le meilleur poulet que vous aurez jamais mangé. Entièrement naturel.
— Je suis désolée, dit Marthe, ma cousine qui habite à Auray en profite pour venir me rejoindre ici ce soir.
— Dommage…
— Moi je veux bien, s'empressa de dire Sandrine. Ses yeux brillaient, tout excitée qu'elle était déjà à l'idée d'être seule avec Pol ce soir.
— Bon ! Ben voilà ! C'est réglé.

Il sortit donc deux grandes broches de métal d'un des tiroirs de son imposante armoire et empala la bête sur le dos de laquelle il étendit de la moutarde, du beurre et des herbes fraîchement cueillies de son jardin.

— Tu fais tout toi-même ? demanda Marthe en prenant place à table.

Sandrine l'imita.

— Je déteste me sentir dépendant de qui que ce soit ou de quoi que ce soit. Pour moi la liberté, c'est de m'autosuffire et j'essaie de le faire le plus possible. J'ai mes œufs, mon lait de chèvre et mon fromage que je fais moi-même, un poulet une fois de temps en temps, j'ai mes légumes, je pêche mes poissons et mes crustacés et je mange parfois de l'agneau et des fruits que j'échange avec un voisin contre mes œufs et mon fromage. Avec l'argent que je me fais au marché, il ne me reste plus que mes fruits exotiques à acheter l'hiver et mes produits de base comme les épices, la farine, le sucre, le riz et les légumineuses.

Pol se lava les mains, rangea la bête dans le frigo et la laissa macérer.

— Tout est bio !, ajouta Sandrine, émerveillée, en buvant une gorgée.

Pol s'appuya sur son frigo, se croisa les jambes en tenant sa bière entre ses deux mains.

— Naturellement… Et pas besoin de payer cher pour l'appellation « in » bio… Je suis convaincu que le monde s'intoxique littéralement avec tous ces additifs intégrés dans les produits transformés. Il suffit de faire soi-même le plus possible.
— Mais tu manges forcément moins varié ? questionna Marthe.

— C'est vrai répondit-il, en s'avançant vers la table. Comme dans le temps. Il prit une chaise et s'assit dessus, à califourchon. Et ça me demande aussi beaucoup plus de travail. Je fais mon bouillon de poulet, mes pâtes fraîches, mais au moins, je sais ce que je mange. Déjà que j'ai pas de contrôle sur les toxines dans l'air, qui contaminent mes cultures...

Il prit une gorgée et se passa la main dans les cheveux, puis gratta sa barbe qui semblait encore plus forte que ce midi. Sandrine sourit.

— À la limite, je suis même un peu paranoïaque, mais avec tout ce qu'on lit, on peut pas fermer les yeux devant l'évidence : les allergies sont de plus en plus nombreuses, les problèmes de digestion prolifèrent, les intolérances au gluten pullulent, tout comme le colon irritable, sans parler de tous ces problèmes neurologiques qui affectent de plus en plus de gens, de plus en plus tôt. Des enfants de six ans parlent de suicide... Et qu'ils viennent pas me dire que dans le temps, c'était pareil, mais qu'on en parlait moins. C'est pas vrai ! On l'aurait su. À mot couvert, mais on l'aurait su. Tout comme on connaissait le fou du village.

Il n'y avait pas de hasard. Aussi était-il convaincu qu'on nous cachait non seulement un nombre infini d'informations concernant ce qu'on mangeait, mais aussi sur l'environnement dans lequel on vivait. Pas étonnant qu'il n'avait pas de télévision, pas d'ordinateur, ni de cellulaire, encore moins de micro-ondes. De toute façon, il n'en supportait pas le cillement qui, disait-il, polluait son environnement sonore. Il les ressentait et ça lui gobait son énergie. Un puriste comme il s'en fait peu. Pas loin des Amish et à la limite d'être borné. Mais Sandrine ne détestait pas. Au contraire... N'avait-elle pas toujours rêvé de ce retour aux sources, à la vie tout simplement, elle qui s'était épuisée à Paris pendant toutes ces années ? Qu'allait-elle devenir à cinquante ans si elle continuait à ce rythme ? Son rêve ultime ? Devenir parfumeuse… Ironie du sort, elle appréciait l'odeur plutôt âcre des fromages, des fermes et des maisons ancestrales. En somme, elle aimait les odeurs pures, mais détestait celles du goudron et des grandes villes, du béton et des voitures.

Pol se leva, se lava les mains et demanda aux femmes d'en faire autant.

— C'est pour les photos. C'est plus prudent.

Son savon était rugueux et ne sentait pas grand-chose.

— Tu fais ton savon toi-même ? demanda Sandrine.
— Comme de raison… affirma Pol en souriant et en disparaissant dans une arrière-pièce.
— Allez les filles, suivez-moi.

Elles poussèrent un vieux rideau de coton vert pomme qui séparait les deux pièces et disparurent dans une espèce de boudoir rempli de livres et de documents qui semblaient presque aussi vieux que des papyrus. Sandrine se sentait riche. Elle adorait ce genre d'ambiance, comme si elle se trouvait dans le bureau d'un savant qui allait leur faire part de son savoir. Elles étaient réellement impressionnées. Des bouquins qui dataient du siècle dernier étaient formidablement bien conservés et attendaient patiemment qu'on les consulte, qu'on les admire. Ça sentait le vieux manuscrit, il y en avait partout, sur tous les murs, dans tous les coins, jusqu'au plafond.

— Comment se fait-il que ce ne soit pas la ville, le gouvernement qui aient ça en leur possession ? demanda Marthe.

— Ils ont les documents officiels de Belle-Île, répondit Pol en fouillant sur une tablette. Moi ce qui m'intéresse, c'est la petite histoire. L'histoire de vie des habitants de l'île. La guerre oui, les Anglais, les Allemands oui, mais ce qui me fascine, c'est quand ces événements sont racontés à travers le regard des gens qui les ont vécus. Ça révèle tellement plus à mon avis que de simples faits et dates.

Sandrine pouvait admirer sa passion dans toute sa splendeur. On aurait pu penser que c'était le capharnaüm total tant il y avait de feuilles entassées, mais contrairement aux apparences, les documents étaient tous minutieusement rangés selon un ordre que Pol tenait à conserver.

— Sinon, comment pourrais-je m'en tirer quand on me demande quelque chose ?

Il scruta sa bibliothèque sur le mur de droite, réfléchit quelques instants avant d'en sortir un lexique qu'il consulta. Il prit un volumineux album photo sur la cinquième tablette.

— Voici le premier. Ce sont les premières photos qui ont été prises de Belle-Île.

Au centre de la pièce, une grande table, que Pol appelait sa table de consultation, permettait de faire le tri des photos, des articles de journaux, des documents qu'on lui remettait. Les deux femmes s'y assirent. L'archiviste déposa l'album photo et continua sa fouille.

— Commencez par ça, j'en ai huit autres du même genre. Je vous les trouve et vous les amène.

Sandrine avait, une fois de plus, l'impression d'être embarquée dans une machine à voyager dans le temps. Il y avait ces maisons, ces paysages en noir et blanc, puis ces hommes et ces femmes qui la regardaient, fixant la caméra, jamais souriants. Qu'ils avaient l'air austère ! Pourquoi les gens du siècle dernier ne semblaient-ils jamais heureux quand on les photographiait ? Avaient-ils peur de ce qui allait sortir de l'objectif ? Ils étaient différents, songea Marthe.

— Qu'est-ce qui fait que physiquement l'être humain a changé ? Est-ce ce qu'on mange ou simplement une impression créée par la photo noir et blanc et par la sévérité des vêtements qu'ils portaient ?

— Je crois que la morphologie humaine change avec le temps. On se raffine, dit Pol, les deux bras étirés au-dessus de son corps pour sortir un autre album. Ça ne saurait durer… avec ce qu'on mange, on devrait bientôt avoir des boules qui nous poussent un peu partout, ajouta-t-il sarcastique. Ce sont les mutations génétiques…

— Il y a toujours les chirurgies esthétiques pour arranger le coup ! dit Sandrine, amusée.

— C'est pas un gage de santé, ajouta Marthe en faisant allusion à ces femmes qui avaient connu de graves complications à la suite de leur augmentation mammaire ou de leur lifting.

Elles tournaient les pages pour découvrir encore davantage de ces gens inconnus qui les fixaient. En pensant qu'ils étaient probablement tous morts, Sandrine eut un frisson. Des morts la regardaient. Elle détestait l'idée. Elle n'aimait pas la mort, était loin d'être en paix avec l'idée qu'un jour elle devrait quitter cette terre. Normal, elle n'avait que vingt-cinq ans. Elle se souviendra toutefois toujours de ses premières funérailles, celui de la grand-mère d'une amie. Debout devant le lit d'une mémé mal maquillée, elle avait osé toucher sa peau rigide, froide et fausse. Elle avait retiré sa main comme si elle venait de se brûler, s'était enfuie dans l'autre pièce et n'avait plus voulu y revenir. En plus, elle sentait la poudre bon marché. Fin de son rapprochement avec la mort. Elle en gardait un bien âpre souvenir. Elle devait alors avoir sept ou huit ans. En tournant les pages de l'album, Sandrine prenait garde de ne pas mettre ses doigts sur les visages, de crainte que les défunts lui en tiennent rigueur et la hantent sa vie entière. Elle eut un autre frisson et tourna de plus en plus vite jusqu'à ce qu'elle découvre des paysages sauvages qui ne semblaient pas avoir bougé. Les mêmes que maintenant. Fixés à la vie, comme à la peinture. Il faut dire que la loi sur la préservation du littoral n'a pas fait que du mal. Sandrine pensa à Armel.

— Oh mon Dieu, Armel ! Je lui avais dit que j'irais manger avec elle !
— J'ai le téléphone quand même, dit Pol en descendant de l'escabeau sur lequel il venait de monter. Tu pourras appeler pour l'avertir que tu mangeras ici.
— Elle va être déçue, dit Sandrine en faisant la moue.
— Ce ne sera pas la première fois, malheureusement.
— Raison de plus…
— Mais non, c'est une grande fille. Tu la retrouveras demain… euh, ce soir… récupéra Pol qui venait de faire un lapsus qui ne passait pas inaperçu.

Marthe fit semblant de ne pas avoir entendu, mais elle se mordait la lèvre. Sandrine rougit.

— Oui, je vais l'appeler… Tout de suite, même.

Elle se leva, mal à l'aise.

— Je ne voudrais pas qu'elle prépare quelque chose de trop gros. Elle fait tout le temps des mijotés délicieux, mais pour elle toute seule, c'est un peu trop.

Pol lui donna le téléphone. Armel ne répondit pas.

— Elle n'est pas là…
— J'irai l'avertir en passant devant chez elle, tout à l'heure. Je me suis loué un appartement juste en face, fit Marthe en parcourant toujours les photos.
— Ah oui ? Où ? demanda Pol, intrigué.
— À côté de l'antiquaire, un édifice bleu avec plusieurs logements à louer.
— C'est vrai ? ! C'est un ami à moi qui tient le magasin. Et c'est bien ?
— Parfait, fit Marthe. De toute façon, tout est parfait ici jusqu'à maintenant. Rien à redire.

Elle continuait de tourner les pages, presque distraitement. Même si elle trouvait les paysages magnifiques, elle n'y reconnaissait rien. Rien de familier. Ses rêves étaient-ils de pures inventions de son esprit ? Peut-être mélangeait-elle deux, trois lieux ? Non… Elle avait bien vu, dans le documentaire, cet endroit qui venait la chatouiller chaque nuit depuis si longtemps.

Pol remonta sur l'escabeau, puis lui passa le deuxième album et déposa devant elle le troisième et le quatrième. Après avoir raccroché le téléphone et scruté quelques-unes des photographies accrochées au mur de la chambre, Sandrine vint se rasseoir et continua, elle aussi, sa consultation. Elle avait toujours été fascinée par les photos et la recherche. Quand, dans les films, elle voyait des gens, des avocats ou des enquêteurs, par exemple, faire des recherches, fouiller dans des documents, elle s'émoustillait. Elle avait toujours envie de s'y plonger. À tous les coups, elle se sentait revigorée, curieuse, volontaire. Et là, c'était elle qui était partie intégrante de l'action. Elle aurait aimé être journaliste. Elle adorait apprendre. Elle se sentait donc terriblement heureuse aujourd'hui. Mais savait-elle vraiment ce qu'elle cherchait ? Même si Marthe lui avait fait une description précieuse de la maison à laquelle elle rêvait si souvent, elle ne l'avait pas aussi clairement en tête que la Québécoise.

Au fur et à mesure que Marthe tournait les pages et fermait les albums, on pouvait sentir sa déception. Sa quête était vaine. Rien. Elle craignait d'avoir fait tout ce trajet et dérangé ces gens pour rien.

— C'est n'est parce qu'on ne la trouve pas sur mes photos que votre maison n'existe pas, tenta de la rassurer Pol. Décrivez-la-moi, décrivez-moi votre rêve… fit-il en redescendant de son escabeau avec un dernier album en main en venant les rejoindre.

Marthe déposa l'album qu'elle tenait en main, se recula sur sa chaise comme pour mieux penser et partit dans ses réminiscences.

— Je… je me vois toute petite avec mon chien dans les bras. Un petit barbet, tout gris, tout léger. Je suis avec beaucoup de gens et je débarque sur l'île. Ça c'est clair parce que j'ai reconnu le quai. Puis, je revois cette maison sur le bord de l'eau, sur le bord d'une falaise. Et à nouveau, je me vois sur le bord du quai… Il y a beaucoup de monde et je suis en robe longue blanche, comme une robe de mariée. Je suis beaucoup plus vieille maintenant. Difficile à dire exactement quel âge j'ai puisque je ne me vois pas. Vous voyez-vous dans vos rêves, vous ?
— Non, jamais, fit Sandrine.

— Tout le temps, moi. Comme si je faisais un voyage astral, dit Pol.

— C'est vrai ? demanda Sandrine, suspicieuse.

— Oui, pourquoi pas ?

— Parce que c'est rare. La plupart des gens se vivent, mais ne se voient pas. Habituellement, on se voit exactement dans ses rêves comme on se voit dans la vie. Je ne me vois pas en ce moment. Je vois mes mains, mes jambes, mais je ne me vois pas dans mon ensemble. C'est pareil pour mes rêves.

— C'est vrai... fit Pol, presque dubitatif... Peut-être que je meurs un peu chaque nuit et que je me vois flotter au-dessus de mon corps.

— Si c'est le cas, t'as le cœur solide ! ricana Sandrine.

Pol sourit. Au fond, la jeune fille n'était pas si étonnée que Pol vive ses rêves comme ça, différemment de tout le monde parce qu'il n'était pas comme tout le monde.

— Continue, demanda-t-il à Marthe.

Cette dernière sourit et poursuivit en fermant les yeux, pour se concentrer encore davantage.

— Donc, je suis sur ce quai. Il fait très gris, le ciel est même inquiétant. J'attends quelqu'un, je sais qu'il est très important. Je vois un bateau au loin, mon cœur bat la chamade parce qu'il pleut maintenant, le vent se lève de plus en plus fort et je crains pour la personne qui m'est chère. J'ai très très peur.

Sandrine s'inquiétait maintenant pour Marthe qui racontait son histoire en fixant droit devant elle comme si elle n'était plus de notre monde. On eut dit qu'elle se projetait réellement au siècle dernier. Elle lui prit la main. Marthe la serra, sortit de son fixe et poursuivit :

— Le bateau est à quelques mètres seulement et je suis pleine d'espoir, remplie d'amour aussi… Puis, voilà un grand tourbillon, un fort vent… On voit à peine devant nous tellement les rafales soufflent. C'est fatal. La proue s'écrase, le bateau prend l'eau en laissant se noyer tous ses occupants sous nos yeux.

Sandrine et Pol écoutaient l'histoire, sans dire un mot. Marthe ravalait ses émotions. Sandrine lui passa la main dans le dos.

Pol se releva soudain, comme s'il venait d'avoir un flash, pour retourner à sa bibliothèque.

— Qu'est-ce qu'il y a ? demanda Sandrine, intriguée et inquiète.
— Attendez…

Il parcourut encore les nombreux rayons de sa bibliothèque jusqu'à ce qu'il tombe sur un livre noir qu'il extirpa des étagères. Ce n'était pas un album photo, mais un journal intime. Il le feuilleta et vint se rasseoir à table.

— Qu'est-ce que tu cherches ? s'enquit Marthe.

Il ne répondit pas et lui fit plutôt signe d'attendre. Il parcourut rapidement quelques pages, puis trouva enfin. Il regarda quelques secondes ses convives et leur en fit la lecture :

— « Pourquoi moi, pourquoi moi ? Je suis morte… Une partie de moi est morte d'amour… J'étais pourtant prête à unir ma destinée à cet homme que j'aimais du plus profond de mon âme. Ce n'était guère sa condition d'homme d'affaires sur le continent, pas plus d'ailleurs que l'avenir certain et confortable qu'il m'assurait qui faisaient battre mon cœur, au-delà de ce qu'en disaient les mauvaises langues. Non, je l'aimais d'une profondeur qui n'avait d'égale que la force de la promesse que je m'apprêtais à lui faire : fidélité pour la vie. Je comptais chaque minute avant qu'il n'arrive, chaque seconde. Je sentais l'odeur de sa peau, réentendais mille fois sa voix, ne voyait que lui devant moi. Je n'avais qu'une envie : lui dire oui pour toujours. Puis, il y eut ce vent fatal, comme il y en a tant ici, trop même. Je déteste le vent et le haïrai pour toujours. Alors que je le voyais au loin dans son beau costume noir, que je semblais percevoir le sourire amoureux qu'il m'adressait, je ne l'oublierai jamais, le sort, puisque désormais je ne crois plus en Dieu, les sorcières et le mauvais sort m'ont dérobé ce que j'avais de plus précieux. Les vents ont tourbillonné en harcelant les mats du bateau qui transportait mon amant. Paniqué, l'équipage fit ce qu'il put pour contrôler le gouvernail, mais c'est sous le regard affolé de Monsieur le curé, de mère et de père ainsi que de tous les invités prêts à célébrer cette union attendue que le vent arracha les voiles sans pitié et que la coque alla se fracasser sur les diaboliques rochers de la côte. Nous regardâmes tous l'horrible scène, impuissants, sans pouvoir plonger ni leur porter secours. Quelques secondes et ce fut la fin. On ne retrouva aucun survivant… Je venais de mourir aussi. Aujourd'hui, ne me cherchez pas. De ma maison sur la côte, je ne vous ouvrirai pas, je ne vous ouvrirai plus… »

Marthe était comme tétanisée à l'écoute de cette histoire. Sandrine était émue aux larmes. Qui allait parler en premier ? Pol continua de tourner les pages de ce recueil de lettres et s'arrêta à une d'entre elles, qu'il observa quelques instants. Puis, délicatement, il la déposa devant Marthe qui y jeta un regard. Elle tressaillit.

— C'est elle ! C'est ma maison ! C'est celle que je vois en rêve depuis si longtemps ! Existe-t-elle encore ? Où est-elle ?

Sandrine regarda Marthe puis Pol, alternativement, en attendant une réponse.

— Non, cette maison était en bordure de falaise, mais elle a été rasée. Elle était trop dangereuse puisque l'érosion avait, au fil des ans, grugé des bouts de rochers.

Marthe prit les lettres et les regarda longuement sans rien dire. Elle était réellement bouleversée de savoir que ces rêves n'étaient pas fantasques. Elle était bel et bien venue ici dans une autre vie, elle ne savait pas comment, ni pourquoi, mais elle savait qu'elle connaissait cette dame et sa vie, et la ressentait aussi bien que sa propre existence.

— Est-ce que tu sais où est le terrain ? demanda Sandrine, plus pragmatique, à Pol.
— L'histoire que tu m'as racontée, Marthe, fait partie des légendes bretonnes. D'ailleurs, le curé de la paroisse avait connu une phase très dépressive à la suite de cet incident, convaincu, lui aussi, que le Bon Dieu avait abandonné l'île, n'envoyant à ses habitants qu'épreuve après épreuve… Donc, oui, je sais où c'est et, oui, on peut y aller…
— Tout de suite ? s'exclama Marthe.
— Si vous voulez…

Marthe n'en attendit pas davantage pour se lever et enfiler son sac à main sur son épaule. Sandrine suivit le mouvement en posant son sac à dos sur les siennes. Elle avait remisé son vélo chez la vieille dame et depuis le début du voyage en avait fait si peu qu'elle regrettait presque de l'avoir emmené sur l'île. Mais qui aurait cru que ce périple se dessinerait ainsi ?

Chapitre 27

Ils marchèrent une bonne quinzaine de minutes sur la côte après avoir garé la voiture de Pol, une vieille Renault 5, dans le stationnement de Ster Vraz. Marthe était troublée. C'était comme si elle remettait les pieds dans des traces effacées par le temps. Mais ces traces lui allaient bien. C'était les siennes. En même temps, elle angoissait, fébrile. Elle avait l'impression d'appartenir à deux mondes. Elle se trouvait beaucoup plus épanouie dans sa vie actuelle, mais elle avait sans aucun doute quelque chose à régler avec ce passé.

Du haut de la côte, comme ça, la mer était somptueuse. On pouvait encore voir les différentes teintes de vert et de bleu selon la profondeur de la mer. Quelques végétaux avaient résisté au vent et au sel, mais en règle générale, il n'y avait ici que le sentier pédestre et des terrains plats à perte de vue. On humait l'iode, l'air salin, la végétation aride et Sandrine se sentait tout à fait dans son élément.

Ils s'arrêtèrent à un tournant et passèrent de longues minutes là, à admirer la nature. Le vent était bon et les rafraîchissait alors que le soleil était plus que jamais au rendez-vous. Avec ses dards, il harcelait aujourd'hui les Français de tout le pays, mais à Belle-Île, c'était souvent le vent qui gagnait la lutte… ou l'eau froide de la mer. Pol s'alluma une cigarette. Sandrine ne lui avait pour l'instant trouvé que ce seul défaut…

— Regardez ! fit-elle en jetant un coup d'œil par terre.

Marthe et Pol se retournèrent. Des pierres dépassaient légèrement du sol.

— On dirait les restes d'un mur, constata Pol.

Marthe les regarda.

— Vous pensez qu'il pourrait s'agir de ma maison ?
— Fort probable, constata Pol. C'est dans ce coin-ci qu'elle se trouvait.

Des frissons parcoururent le corps de Marthe. Elle avait peut-être vécu là, il y a trois siècles. Ici même. Sandrine était on ne peut plus excitée.

— C'est chouette ! J'adore ça !

Marthe était plus calme, plus perturbée aussi.

— Est-ce qu'on en connaît plus sur le passé de cette fiancée déchue ? demanda-t-elle.

Pol réfléchit et tira une bouffée, puis expira longuement.

— Ce dont je me souviens, c'est qu'elle ne s'est jamais mariée. Pas à ce qu'on sache… Puis un jour, elle est partie pour l'Acadie… enfin, pour le Nouveau-Brunswick au Canada.
— Chez nous ! s'exclama la Québécoise. C'est pas vrai !
— Eh oui, confirma Pol. La roue tourne.
— Je suis un peu bête, mais je ne connais pas trop l'histoire des Acadiens… avoua Sandrine.

Pol proposa aux femmes de descendre en contrebas, là où les interpellait une plage presque déserte, hormis un couple qui pique-niquait avec son chien. Ils s'assirent. Sandrine ôta ses espadrilles pour se tremper les pieds dans l'eau. Marthe s'installa, quant à elle, le dos sur un rocher. La vue était à la fois éblouissante et désertique. Les falaises qui les encadraient à droite, à gauche leur rappelaient à quel point ils pouvaient être petits dans ce monde et pourtant, Sandrine se sentait forte, en pleine possession de ses moyens, beaucoup plus que lorsqu'elle était en pleine heure de pointe dans le métro de Paris. Ici, rien ne pouvait lui arriver, sauf une tempête à l'occasion, mais pour l'instant, le ciel était d'un bleu immaculé et rien ne laissait entrevoir que le temps allait changer de si tôt.

Pol écrasa sa cigarette dans le sable, vérifia qu'elle fut bien éteinte et la déposa dans sa poche de veston. Il commença ensuite à raconter les Anglais, comment un jour ils avaient décidé de se débarrasser des Acadiens de la Nouvelle-France pour prendre possession de leur territoire. Certains ont été envoyés un peu partout, notamment dans les colonies anglaises de l'Amérique, en Angleterre et en France. Des gens déracinés, souffrants, humiliés, en douleur. Des gens que l'on a tués aussi en grande quantité. Des familles séparées qui ont eu peine à se retrouver après avoir trouvé une nouvelle terre d'accueil. Pas étonnant que les Acadiens haïssent tant les Anglais, même encore aujourd'hui pour certains.

— L'histoire qui a fait saigner laisse des cicatrices.

Marthe écoutait avec attention, mais ce qu'elle trouvait le plus étrange dans toute cette histoire, c'est qu'elle ne rêvait jamais de la Nouvelle-France, que le voyage qu'elle avait déjà fait au Nouveau-Brunswick ne l'avait pas touchée. Non, c'est ici qu'elle vivait une émotion intense.

C'est ici que le mystère prenait tout son sens. Quelque chose la chicotait. Elle ne connaissait pas toutes les réponses.

Sandrine jouait dans le sable avec ses orteils.

— C'est fascinant comme histoire... La moitié des habitants de l'île sont donc Acadiens.

— Je ne connais pas la proportion exacte d'Acadiens, mais oui, une bonne partie a des racines acadiennes et de nombreux noms que l'on retrouve ici, on les retrouve aussi au Canada : les Benoît, Leblanc, Daigle, Blanchard, Haché, Landry, Mélançon, Rivet, Sauvé, Trahan...

— C'est vrai ?

— Tout à fait, confirma Marthe.

La conversation s'éteignit toute seule, chacun se laissant dorer sous le soleil relaxant. Toutefois, Marthe ressentait une grande tristesse, malgré la beauté des lieux, malgré son passé déterré. Il faut dire qu'elle avait connu beaucoup d'émotions aujourd'hui.

Les fous de Bassan et les goélands rodaient autour d'eux et le couple s'amusait à les nourrir des bouts de baguette restants. Pour le chien, qui tentait de les attraper, c'était un jeu drôlement amusant ! Sandrine pensa à Armel. Elle devait bien se douter qu'elle ne rentrerait pas coucher...

Pol se roula une autre cigarette.

Chapitre 28

La merveille avec la France, pensait Marthe, c'est que 19h sonnait et que la soirée commençait tout juste. Le soleil régnait encore haut dans le ciel et on commençait à peine à penser à se restaurer. Seul notre estomac nous faisait réaliser qu'il était temps de manger. Vers 20h, 21h peut-être. À cette heure, au Québec, le repas était terminé depuis un moment. L'hiver à tout le moins. L'été, c'était un peu différent. Le barbecue pouvait laisser filer le repas jusqu'à 19h30, tout au plus. Chose certaine, on ne s'attablait pas à 22h comme ici.

Sandrine et Pol avaient décidé de raccompagner Marthe, question de faire un saut de puce chez la vieille dame. Qu'Armel n'ait pas répondu au téléphone de l'après-midi était anormal. Ils n'auraient pu passer une soirée reposante en supposant qu'elle n'allait pas bien. Bien sûr, elle pétait la forme, mais quatre-vingt-douze ans est loin d'être un âge négligeable. Pour Pol, Armel était la grand-mère qu'il n'avait pas connue, une étant partie travailler sur le continent après la mort de son mari, l'autre décédée des suites d'un cancer du sein, que l'on ne devait pas appeler comme ça à l'époque, surtout qu'il s'agissait du sein.

La place de la République et l'Avenue Carnot étaient dotées de parcmètres que l'on devait nourrir entre 7 et 19h. Comme Marthe n'avait pas envie de s'extirper du lit demain avant 7h pour aller gaver lesdites machines à sous, ils montèrent la rue et se garèrent dans la rue adjacente. Ils redescendirent à pied, sans parler, en admirant les vêtements bretons dans les vitrines, les pâtisseries invendues à cette heure, mais pourtant toujours aussi appétissantes, les boutiques souvenirs qui vendaient à peu près toutes les mêmes broutilles, mais qui avaient chacune leur charme : les assiettes et les bols bretons, la dentelle et la coutellerie, des jouets allant de Babar à Dora, signe de deux époques que quarante ans séparaient, l'un étant pourtant aussi populaire que l'autre.

Ils arrivèrent chez Armel.

— Je dois vous laisser ici, dit Marthe. Ma cousine arrive bientôt.
— Aucun problème, répondit Pol. Est-ce que tu veux qu'on t'aide encore demain ?
— Je sais pas trop. Je sais plus vraiment ce que je cherche maintenant. La nuit porte conseil… et dans mon cas, c'est vrai en mozusse. Je suis vraiment fatiguée. Mais merci infiniment pour tout.

Sandrine sourit. Ils se saluèrent, Marthe traversa la rue et les laissa seuls. La porte de l'édifice d'Armel n'était pas verrouillée. L'intérieur sentait la sciure de bois, la peinture, le décapant.

— Je n'arrive pas à croire qu'Armel vive là-dedans. Ça va l'intoxiquer d'une seule inspiration, fit remarquer Pol.

Ils montèrent jusqu'au logement en enjambant de nombreux débris épars, et cognèrent à la porte. Pas de réponse. Ils frappèrent encore plus fort. Toujours rien. Ils craignaient ce qu'ils allaient bientôt trouver de l'autre côté du huis.

— Qu'est-ce qu'on fait ? demanda Sandrine.

Pol haussa les épaules en fronçant les sourcils. Armel ne sortait qu'à l'heure du marché. À cette heure, elle faisait invariablement le repas du soir pour elle seule ou pour une meute de gens. Où pouvait-elle bien être ?

— Elle est partie, fit sèchement la propriétaire qui les avait entendus monter et qui leur adressa la parole du bas de l'escalier.
— Partie ? Pour où ? Comment ? demanda Sandrine.
— Ne vous inquiétez pas, elle n'est pas partie loin… mais ça ne saurait tarder.

Sandrine et Pol craignaient de comprendre.

— Qu'est-ce que vous voulez dire au juste ?
— C'est un hôtel ici, pas un refuge pour personnes âgées… Surtout pas un refuge pour petite dame têtue et frustrée. Je perds beaucoup d'argent avec Madame Legruec.

Elle baissa le ton en gravissant les marches pour s'approcher d'eux, comme si elle désirait s'en faire des alliés.

— Et vous savez, on m'a confié qu'elle faisait peur à certains touristes qui préféraient aller ailleurs que d'avoir à la rencontrer. On a beau dire, mais avec tout le respect que j'ai pour eux, les vieux, ça sent fort.

Sandrine était interloquée. Cette femme avait un culot qui la laissait pantoise à tous coups.

— Mais pour qui vous prenez vous ? demanda Pol, consterné… Vous êtes une personne mesquine, madame. C'est tout ce que je peux dire tellement je suis sur le cul de ce que vous venez de cracher comme venin.

— Parce que je dis la vérité ? dit-elle en se tâtant le lobe de l'oreille. C'est le cycle de la vie et on n'y peut rien, dit-elle avec arrogance. On ne sera pas épargné. Mais heureusement, on a encore du temps devant nous.

— Retiens-moi, murmura Sandrine à Pol, je vais lui arracher les yeux.

— Je vous en garde bien, répondit Isabelle qui avait malgré tout entendu. Mais craignez pas, je suis généreuse. Je lui laisse six mois de préavis. C'est largement suffisant pour qu'elle se trouve autre chose et c'est beaucoup plus que les deux mois réglementaires. Vous devriez me remercier plutôt que de me condamner.

— C'est vrai… Six mois pour refaire sa vie quand on a quatre-vingt-douze ans, c'est un délice. Vous avez tout compris, dit Pol en tapant dans ses mains. Le diable vous emporte chère dame, fit-il devant Sandrine qui jubilait. Et je souhaite que vos os vous fassent tant souffrir quand vous serez vieille que vous mourrez recroquevillée, seule dans un coin. Et quand je dis seule, il n'y a aucun doute que c'est bien ce qui arrivera.

— Pareillement, dit Isabelle, qui ne savait plus quoi dire.

Sandrine et Pol descendirent l'escalier en la bousculant.

— Cette femme est une horreur ! lança Sandrine.

— Mais j'ai des petites nouvelles pour elle, ajouta Pol en sortant de sa poche de jeans une capsule de Cachou Lajaunie. Par réflexe, il en offrit à Sandrine qui refusa et il s'en prit trois d'un seul coup.

Quand Pol ne fumait pas et qu'il se sentait à la limite de l'explosion, il s'enfilait ses bonbons à l'anis qui le détendaient. Trop forts pour elle, Sandrine n'aimait pas…

Ils descendaient les marches d'un pas lourd. Sandrine pensa à son grand-père qui disait toujours quand elle avait le pas pesant : « Dis ce que t'as à dire... », convaincu que ceux qui marchaient fort cachaient une frustration, un malaise. Et pour elle, c'était souvent vrai.

Ils ouvrirent la porte du bâtiment.

— La Lucas va déchanter si elle croit que c'est en chassant des habitants de l'île, qu'elle va se faire de nouveaux amis.

— Mais elle semble pas avoir seulement des copains, Armel... tiqua Sandrine.

— C'est vrai que la vieille n'a pas toujours la langue dans sa poche, mais une nouvelle venue qui décide de venir faire commerce ici sur l'île, en ôtant à un villageois la possibilité de faire des affaires, a intérêt à être drôlement gentille pour se faire aimer.

— Désolée, dit Sandrine en suivant Pol qui descendait la rue en direction du port, mais quand elle le veut, elle peut être très charmeuse la proprio. Elle doit pas être du genre à se laisser faire. Elle doit papillonner des sourcils dès qu'elle peut plaire...

Le pas de Pol était rapide, Sandrine peinait à le suivre. Il était visiblement rouge de colère. Sur la place de la République, des touristes déambulaient sur les trottoirs et dans la rue puisque le mercredi était déclaré journée sans voiture à Palais dès 19h. Pas de voiture en vue... mais pas d'Armel non plus.

— Où peut-elle être ? A-t-elle de la famille ? Des amies ?

— Même si elle en avait... Elle ne quitte jamais Le Palais.

— C'est vrai, fit Sandrine.

— Mais j'ai une petite idée…

Pol prit la main de Sandrine, étonnée, qui le suivit bien sûr sans hésiter. Ils contournèrent l'arrière-port, passèrent devant quelques restaurants et se dirigèrent vers le port. Sandrine parcourut rapidement le quai du regard, sans trouver celle qu'ils cherchaient. Mais il fallut peu de temps pour que Pol réagisse :

— Elle est là, dit-il en pointant l'un des deux phares de Palais.
— Oh mon Dieu ! s'exclama Sandrine. Mais qu'est-ce qu'elle fait ? Elle… elle va sauter ?

Pol rit.

— Mais non… C'est toujours ici qu'Armel vient quand elle veut noyer un chagrin. Elle dit qu'elle est en contact direct avec ses amis les oiseaux et avec la mer, sans inter-férence.
— Et personne l'en empêche ?
— On a bien essayé… Mais tout ce qui est interdit, Armel adore. Et qui l'empêcherait de faire ce qu'elle veut ? Le maire ferme les yeux ; c'est Armel. Et qui peut donc se battre contre Armel ? Tous ceux qui ont essayé ont échoué un jour ou l'autre…

En pressant le pas en direction de la nonagénaire, San-drine constatait en effet qu'autour de cette vieille silhouette volaient de nombreux oiseaux. Le spectacle était harmonieux, avec la lumière qui se retirait tranquillement du jour, trempant la ville dans un bain de sang presque surréaliste et conférant une dimension romantique à la scène. Elle eut envie de sortir son appareil photo, mais elle trouvait obscène de profiter du malheur d'une vieille dame pour figer un souvenir sur pellicule. Ils arrivèrent sous le phare et observèrent quelques instants leur amie qui discutait, un peu follement, avec les goélands autour d'elle.

— C'est tout le respect qu'on a pour une femme de quatre-vingt-douze ans. Vous vous rendez compte ? Quatre-vingt-douze ans ! On dit qu'avoir un comportement bestial, c'est cruel. Mais qu'est-ce que c'est que cette invention de l'homme ? ! Rien n'est plus doux qu'une bête et plus inhumain qu'un humain. Est-ce que ça vaut vraiment la peine de se rendre si loin dans la vie pour voir de telles choses et se faire ainsi rejeter, dites-moi ? Hein Gertude ? Hein Cybelle ?

— Certainement que ça vaut la peine ! lança Pol en escaladant le phare. Nous, qu'est-ce qu'on ferait sans vous ?

Armel ne pencha même pas la tête en direction de son interlocuteur, reconnaissant sa voix instantanément.

— Tu vendrais ton fromage, mon cher Pol. Voilà ce que tu ferais.

— Mais vous savez bien que sans vous, il n'aurait pas le même goût.

Elle sourit et baissa le ton de sa voix, la rendant plus affectueuse.

— Heureusement qu'il y a encore des gens comme toi sur Terre.

Pol sourit à son tour et enjamba les dernières marches de métal. Il s'assit à ses côtés et ensemble, ils regardèrent l'horizon de longs instants en silence... enfin, presque puisque les oiseaux, eux, n'avaient pas dit leur dernier mot et piaillaient sans épargner les oreilles.

— Mais qu'est-ce qu'ils ont au juste ? s'impatienta Pol.

— Ils ont faim. Je ne leur ai pas encore donné à manger et ils me somment de retourner à la maison... C'est comme mes chats. Il y a un petit bout de temps que je ne les ai pas revus, tiens.

— Ben voilà une bonne raison de descendre d'ici.

…

— Mais qu'est-ce que je vais faire Pol ? demanda la vieille dame de l'île, le trémolo dans la voix. Si je déménage, ils vont pas me trouver, mes petits ? Ils comprendront pas pourquoi je les nourris pas...

— Vous savez leur parler, vous leur expliquerez.

Armel réfléchit quelques secondes.

— T'as bien raison !... Mais c'est quand même dommage que cette chipie s'en tire à si bon compte.

— Qui a dit qu'elle s'en tirerait ?

Armel fit un sourire coquin.

— Qu'est-ce que ça veut dire ?
— Ce que ça veut dire !

Elle lui pinça la joue.

— Qu'est-ce que tu me prépares mon polisson ? !
— Rien pour l'instant, mais on vous aime et on laissera personne vous faire du mal.

Il enlaça délicatement son bras autour de son cou et lui donna un baiser tout tendre sur la joue.

Ils demeurèrent ainsi encore quelques instants. Sandrine avait craqué ; cette fois, elle avait saisi son appareil photo et immortalisait maintenant, du bas du phare, tout ce qu'elle voyait : la citadelle à sa gauche qui s'endormait sous la couverture rouge du coucher de soleil, un vieux pêcheur qui tenait sa ligne, assis sur le mur de pierre, les pieds ballants, le regard vers l'horizon, pensant sûrement à sa vie passée ou peut-être au poisson qui ne venait pas. Elle saisit la maison à sa droite qui lui faisait terriblement envie, greffée au sommet d'une côte qui semblait impossible à atteindre, une maison coulée dans le roc, qui embrassait la nature et la solitude, puis elle s'attarda aux gens qui allaient et venaient sur l'eau ; il y avait ceux qui avaient leur aise sur le port et qui s'étaient installés pour manger dans leur voilier, festoyant en arrosant leur repas de beaucoup de vin (ça s'entendait), et les autres qui laissaient leur bateau un peu plus au large et qui ramaient en youyou jusqu'au quai où ils amarraient. De là, ils trouvaient un endroit pour se restaurer. Le vent était doux et bon. Sandrine se régalait. Tous ses sens étaient en éveil. Elle prit aussi Armel et Pol en photo dans une contre-plongée qui donnait un effet presque surréaliste. Une petite vieille comme ça, au sommet d'un phare avec un jeune homme qui avait l'air d'un marin. Qui l'eut cru ?

— Mais c'est que j'aurais une petite faim, moi ! fit Armel, maintenant décidée à descendre.

— Un petit poulet de chez moi, madame ? Je vous invite, proposa Pol en tendant son bras pour qu'elle s'y accroche. Mais elle n'en fit rien. Elle grimaça plutôt :

— Je le sais, petit, que tes poulets sont les meilleurs, mais tu me connais, je sors si peu... fit-elle en continuant sa descente.

— Armel, je l'avais fait mariner, ça ne peut pas se perdre ! Venez, je vais venir vous reconduire après. De toute façon, ça sent si fort le vernis chez vous. Ce n'est pas vivable.

Elle baissa la tête, pensive… ou triste. Peut-être un peu des deux.

— Allez-y mes enfants. Je me suis cuisinée une excellente cotriade que je mangerai chez moi, avec mes oiseaux et mes chats.

— Hmmm… Une cotriade ! Et vous en avez assez pour trois ? demanda Pol, intéressé, en faisant un clin d'œil entendu à Sandrine en arrivant au sol. Il savait bien qu'aujourd'hui Armel ne lâcherait pas le morceau et ne les suivrait pas.

— Je ne veux pas changer vos plans, mes colombes, fit cette dernière en faisant allusion à la soirée qu'ils avaient peut-être prévue.

Sandrine se sentit mal à l'aise.

— Mais non ! Mon poulet sera encore meilleur demain, s'exclama Pol. Et puis, il y a un bon film au Rex ce soir. On pourrait y aller ensuite, dit-il en regardant Sandrine.

— Au Rex ?

— C'est notre cinéma…

La jeune femme sourit. Un film, ouais, ça c'était vraiment les vacances.

— Une cotriade en bonne compagnie et un bon film, comment refuser ? !

Avec Pol, elle avait le meilleur des deux mondes… L'homme se retourna vers sa vieille amie.

— Ok Armel… On mange avec vous. À une condition.

— Laquelle ?

— On fait un pique-nique ! On se fait un beau petit panier et on vient manger tout ça ici, sur le quai face à la mer. Comme ça, pas de sorcière Lucas, pas de vernis, pas de sciure de bois.

— Entendu ! Mais je nourris mes chats et mes oiseaux avant.

— Bien sûr ! Mais entre vous et moi, est-ce qu'ils vous suivraient pas jusqu'ici pour avoir leur ration ?

Armel sourit.

— Peut-être, mais je veux surtout pas les dépayser. Ils ont leurs petites habitudes.

Ils retournèrent donc à l'appartement. Armel leur servit de généreuses bolées de cotriade qu'elle recouvrit de papier aluminium pour les conserver au chaud. Elle en fit autant pour une bouteille de blanc afin de la garder bien au frais, mit des ustensiles, du pain et des verres dans un panier et les voilà conquérant fièrement tous les trois la Place du marché devant les touristes surpris : certains interrogatifs, d'autres méprisants (il y en aura toujours !), d'autres ravis, mais la majorité envieux. Le fumet que dégageait le repas était exquis. Dans les films d'animation pour enfants, on aurait vu les chats suivre nos trois comparses à la trace.

C'est ainsi qu'ils s'installèrent confortablement sur le muret du quai, avec vue sur Quiberon, sur la mer, sur la vie. La sainte paix. Et pourquoi pas le bonheur... Sandrine dégusta ses bouchées comme si elle en faisait chaque fois la précieuse découverte. Elle mâchait longuement son mélange de congre, de maquereau, de moules, de carottes et de haricots verts, le tout agrémenté d'aromates et d'un léger parfum d'orange, bouchées qu'elle faisait suivre d'une tranche de pain trempée dans la sauce, noyée au final d'une bonne gorgée de vin. Avec Armel d'un côté et Pol de l'autre, oui, le bonheur. Elle regardait Pol, qui savourait aussi le moment en faisant bouger ses jambes dans le vide, fixant sérieux l'horizon. Tout ce qu'il mâchait croquait dans sa bouche et faisait un bruit appétissant. Elle aimait ses traits, sa peau épaissie par la rigueur du temps, résultant de l'action du vent et du sel dans son quotidien, elle appréciait l'odeur de sa peau, un amalgame de bonnes saveurs et d'herbes fraîches. À cet instant, elle aurait aimé l'embrasser longuement, mais elle saurait attendre. Chaque plaisir se déguste un à la fois.

Ils ne parlèrent presque pas. Ils avaient déjà beaucoup papoté aujourd'hui et personne n'en ressentait le besoin. Aucun malaise et pour Sandrine, c'était bien la première fois. Accepter le silence dans une société si bruyante où il fallait masquer les vides pour paraître intelligent n'était pas une mince tâche. Mais elle savait qu'ici, on s'en foutait. « Celui qui parle trop n'écoute pas », disait souvent son grand-père. Et il avait raison. Elle entendait le ressac, les cloches des bateaux, le vent dans ses oreilles. Elle pouvait même entendre son propre bonheur. Il suffisait qu'elle soit à l'écoute, tout simplement.

Chapitre 29

Le noir nappait totalement le ciel maintenant alors qu'au Rex, on passait un film mettant en vedette Daniel Auteuil, Sabine Azéma et Alain Chabat. Une primeur. Situé près de la pittoresque église de Palais, le cinéma Rex semblait avoir été construit pour des Lilliputiens. Une seule salle présentait quelques films par mois et une unique femme, très avenante d'ailleurs, faisait à la fois office de guichetière, de projectionniste et de caissière pour la vente de confiseries. L'Amérique n'avait pas rejoint le Rex et on n'y vendait pas de pop corn, mais toujours les bons vieux Carambars et autres délices sucrés tels que des dragées, du nougat, des réglisses et des pâtes de fruits. En ce mercredi soir, la salle était presque pleine. Il faut dire que cette comédie faisait l'objet de bonnes critiques à Paris.

Alors qu'elle s'était sentie si bien sur le bord de l'eau, assise ici, à côté d'un quasi inconnu, Sandrine était mal à l'aise. Si au moins le film pouvait commencer. Et dire qu'elle avait pensé qu'elle pourrait peut-être l'embrasser ! Elle était pétrifiée à la seule idée que cela puisse se produire. Un peu naïf, bon joueur ou très sûr de lui, Pol semblait pour sa part tout à fait à l'aise, ce qui ne faisait pas de lui un être insensible pour autant. Il remarquait bien que Sandrine avait repris sa volubilité et que ses membres s'agitaient beaucoup plus que tout à l'heure. Elle cherchait visiblement quelque chose à dire. Pol ne le releva pas.

— Et tu comptes rester à Belle-Île toute ta vie ? demanda la jeune femme.

— C'est mon paradis ici. Est-ce qu'on quitte un paradis ?

Elle lui fit un sourire entendu.

— De toute façon, ailleurs, il faut des diplômes pour gagner sa vie, peu importe dans quoi. Et moi je n'en ai aucun, ce qui ne fait pas de moi un homme bête pour autant.

— Ben non, c'est évident. Avec tous les livres que t'as, pas de danger !

Il sourit à son tour.

— Ça, c'est de la frime, je ne sais pas lire.

— Si tu ne sais pas lire et que tu n'as pas de télé, j'ignore avec qui tu passes tes vendredis soirs pour en savoir autant.

— Bon point.

Le redoutable silence s'installa et les yeux de Pol ne se portaient pas devant lui ou sur le programme du mois qu'il tenait dans ses mains. Il fixait plutôt Sandrine qui lui lançait un coup d'œil rapide ou qui figeait son regard sur son sac de fraises Tagada. Au bout d'un temps, elle ne put toutefois s'empêcher de relever la tête. L'espace d'un instant, leurs regards demeurèrent accrochés, assez pour qu'elle ressente de l'excitation dans son bas-ventre. Il regardait ses lèvres, elle détourna la tête et se trouva idiote, la bouche remplie de confiseries. Ce qu'elle pouvait être bête de se gaver ainsi.

Une autre conversation reprit et le film débuta.

Chapitre 30

Quand ils sortirent, la nuit enveloppait Belle-Île. Quelle belle semaine elle avait !

— Quand j'étais petite, dit Sandrine, et que le ciel était rouge, je pensais que le petit Jésus s'était coupé en hachant les tomates et qu'il saignait. Ça me terrifiait. Quand il était noir, comme maintenant, je me disais qu'il était puni dans le coin, dans sa chambre sans lumière.

Pol se moqua d'elle gentiment. Elle lui envoya une tape sur le ventre, gênée.

— Arrête ! Arrête de rire de moi !
— C'est mignon, dit Pol en s'étouffant.

Ils échangèrent leurs impressions sur le film, puis Sandrine se laissa surprendre par le plaisir de découvrir les boutiques à sa droite, à sa gauche. Elles étaient closes à cette heure, mais elle se promettait d'y revenir. Elle s'arrêta devant une vitrine dans laquelle on avait mis de l'avant une assiette d'inspiration bretonne rouge carrée.

— Je reviendrai l'acheter pour l'offrir à ma grand-mère. Elle va adorer.
— Elle aime l'art breton ? demanda Pol en déballant le dernier Carambar qui restait dans le sac de bonbons.
— Elle a toujours été fascinée par ce qui est rouge. Tout est rouge chez elle. C'est vraiment étrange.
— Peut-être pas si étrange…

— Pourquoi ?

— Si tu penses que le rouge du ciel, c'est le petit Jésus qui vient de se couper... c'est peut-être de famille. C'est peut-être pour elle une façon de l'appeler, le petit Jésus !

— Arrête ! envoya-t-elle encore en poursuivant. Si elle peut mettre du rouge sur ses murs, elle est encore plus heureuse.

— Est-ce que ses murs sont rouges ?

Le caramel lui collait aux dents.

— Non, heureusement. Ils sont blancs.

Pol sourit.

La porte de l'église était encore ouverte. Au fond, on percevait une lumière, comme des rayons de soleil qui transperçaient des vitraux miraculeux, comme si l'Esprit saint lui lançait un appel. Sandrine délirait. Elle sourit. Elle avait envie d'y entrer pour découvrir ce bâtiment qui datait de bien longtemps. Dès le XVIIe siècle, on trouvait une église sur ce lieu, mais pour la voir sous sa forme actuelle, il fallut attendre 1905. Et encore ! Le clocher ne sera terminé qu'en 1992. On y avait bien prié... et elle dégageait une odeur du siècle dernier. Typique, elle était petite, sans l'être trop, chaleureuse et donnait l'envie d'y rester, de s'y recueillir. Le couple entra. Tout y était vieux et c'est ce qui plaisait à la jeune fille, qui sentit soudain la main de Pol se fondre dans la sienne. Elle leva la tête pour le regarder et se sentit rougir. Une fois encore... Ils avancèrent dans l'allée et à ce moment précis, l'orgue de l'église se mit à jouer la marche nuptiale de Félix Mendelssohn. Sandrine tressaillit, Pol éclata de rire et se défendit :

— C'était pas prémédité, je te jure !

— Qu'est-ce qu'il fait ici ? dit Sandrine, intriguée, en levant la tête pour chercher l'organiste.

— Sais pas… Il répète peut-être.

Pol avait l'air de tout sauf d'un homme qui désirait se marier. Libre penseur, célibataire, attaché à sa culture, il était allergique à tout ce qui lui était imposé. Si on lui disait qu'il devait se marier, il ne le ferait pas.

D'où ils étaient, ils ne pouvaient voir l'organiste juché tout en haut dans le jubé.

— Pensais-tu que c'était un coup monté ? demanda Pol, farceur.

Sandrine sourit timidement, mais n'osa pas rire. On ne badinait pas avec le mariage. Pol s'avança encore tout en avant et s'assit sur un banc alors que Sandrine marcha dans l'église pour découvrir les vitraux alvéolés qui conféraient de la richesse à ce sobre lieu de prières. Sur l'un d'eux, on trouvait le Christ calmant la tempête. Debout les mains au ciel, il appelait Dieu, son père, au calme. Sous lui, des pêcheurs dans leurs embarcations s'en remettaient à ses miracles. Sandrine scrutait aussi des mosaïques, celle de l'Ange adorateur et du fils de Dieu se faisant baptiser. Elle n'était pas pratiquante, et à peine croyante, mais elle se réjouissait de l'ambiance des églises anciennes, se nourrissait de leurs énergies, elle aimait s'y retrouver. Elle se plaisait au silence.

Elle vint se rasseoir près de Pol et ils demeurèrent sans rien dire quelques moments. Puis, le regard de Sandrine se porta vers une fillette d'environ huit ans qu'elle n'avait pas encore remarquée, assise toute seule en biais, un peu derrière eux. Elle donna un coup de coude à Pol. Il se retourna. La petite fille, intimidée, les regarda furtivement et se hâta de descendre ses genoux sur le prie-Dieu en croisant les mains et en fermant les yeux.

— Eh ben ! chuchota Sandrine. Elle est pieuse pour son âge… Peut-être qu'elle s'est perdue.

Il sourit lorsqu'un souvenir traversa ses pensées.

— Quand j'étais petit, j'adorais me cacher dans l'église avec ma petite sœur. Mes parents parlaient toujours avec le curé après l'office et ça nous impatientait. À tout coup, en attendant, on se faufilait derrière un banc ou ailleurs dans un recoin de l'église jusqu'à ce qu'ils nous trouvent.

Sandrine sourit.

— Est-ce que tes parents sont de Belle-Île ?
— Ils sont d'ici, mais ils ne vivent plus ici.
— Mon père est atteint de la maladie d'Alzheimer et ma mère s'en occupe beaucoup. En ce qui concerne ma sœur, je n'en ai plus. Elle est exécrable, profiteuse. Tout ce qu'elle souhaite, c'est que mes parents puissent enfin mourir pour recueillir leur héritage. Si elle savait à quel point ils n'ont pas d'argent.

Sandrine ne savait plus quoi dire.

— Oh tu sais, je ne suis pas à plaindre, ajouta-t-il. Je suis peut-être pas mieux. J'aurais pu aller habiter avec eux pour les aider. J'ai choisi de rester sur l'île. Mais sans elle, je ne respire plus, j'étouffe là-bas.

Sandrine était incapable de lui dire des phrases toutes faites du genre : « Je suis certaine que tes parents comprennent, qu'ils veulent le mieux pour toi. » Elle n'en savait rien.

Pol s'avança vers le prie-Dieu, s'appuya les coudes sur les genoux, les mains sur le nez et inspira profondément. Il n'aimait pas retourner en arrière. Il se sentait lâche d'avoir abandonné ses vieux à leur sort. Peut-être était-ce la raison pour laquelle il tenait tant à prendre soin de la vieille dame de l'île. Ça le consolait... ou lui donnait bonne conscience. Il fixa la statue de Saint-Louis, qui datait de la fin du XVIIIe. Il ne croyait pas en l'Église, pas telle qu'elle était devenue à Rome, mais il appréciait bien son église de Belle-Île et il lui arrivait de venir s'y recueillir quand dehors, le temps était trop maussade et qu'en dedans, il n'arrivait pas à faire le point. Profondément angoissé malgré les apparences, Pol réussissait à combattre le diable en se concentrant sur ses passions : la mer, les gens, l'histoire. Sandrine ne le connaissait pas encore assez pour savoir à quel point il était vulnérable. Elle était de roc, comparée à lui, mais elle n'en savait rien. Toutefois, Pol avait fait un chemin prodigieux depuis des années. Aussi, cela expliquait-il le fait qu'il ne ressentait plus autant le besoin de trouver n'importe quelle femme, en tout temps, pour venir lui dire à quel point il était bon, beau, merveilleux. Peut-être au fond était-il vrai, comme le disait la vieille dame, que Sandrine arrivait juste au bon moment dans sa vie.

Chapitre 31

Étendue sur une couchette bien étroite, Sandrine s'y sentait plus à son aise qu'avec Pol, dans son lit, obligée de briser la glace. C'est comme ça qu'elle avait voulu que ça se passe. Elle détestait les débuts de relation. Et de toute façon, était-ce vraiment ce dont il s'agissait ? Qui était cet homme ? Elle sentait bien une chimie entre eux, mais la dernière chose dont elle avait besoin, c'était d'un homme frivole qui lui briserait le cœur. De ce côté-là, elle avait assez donné. Elle le respectait trop, le trouvait trop bien pour n'avoir qu'une expérience d'un soir. Ce serait tout gâcher... et elle pourrait s'attacher. Elle sentait le danger. Pol était attendrissant, original et quand on le quittait, il restait longtemps en tête. Comme certains aliments qu'on apprécie et qui nous remontent en bouche alors qu'on va que à nos occupations, qu'on a envie de goûter à nouveau. Pol avait bon goût.

Elle tenait un ourson dans ses bras en guise d'oreiller et repensait à son séjour. Elle se sentait habitée par Belle-Île. Comme si c'était sa place... Elle s'y sentait bien. Demain, ils iraient porter le petit-déjeuner à Armel et elle la sortirait de là pour la journée, de force s'il le fallait. Elle y avait bien réussi une fois ! Avec ces odeurs toxiques, les cellules de la pauvre dame allaient prendre un sale coup cette nuit.

Sandrine entendit Pol bouger dans la cuisine et sentit l'odeur du lait chaud. Bien qu'elle eut envie de lui faire la conversation, elle s'en sentait incapable. Beaucoup trop fatiguée. Elle s'endormit.

Chapitre 32

Les croissants étaient délicieusement craquants. Sandrine s'en régalait et en avait déjà trempé deux dans son chocolat chaud alors qu'Armel préférait sa classique baguette recouverte de marmelade et son thé. Pol tenait kiosque depuis l'aurore au marché pendant que les deux femmes se régalaient de se retrouver à nouveau ensemble et seules. Elles étaient assises dans le salon tout à côté de la fenêtre et à chaque bouchée qu'elle prenait, Armel en envoyait une à ses copains oiseaux en attente sur la corniche. Ce rituel n'empêchait pas leur conversation de courir.

— Alors dis-moi, petite, hier, ça a abouti ?

Sandrine sourit, gênée.

— Qu'est-ce que vous voulez dire ?
— Tu le sais, coquine ! Vous vous aimez bien, ça crève les yeux.

Si Sandrine avait pu entrer dans son bol de chocolat, elle l'aurait fait.

— Il est mignon, tout à fait mignon, mais nous sommes deux... Et je ne le connais pas vraiment, je ne connais pas ses intentions.
— Moi je le connais bien... Et je sais qu'après avoir couché avec à peu près toutes les filles de Belle-Île, excuse-moi d'être si brutale... mais je t'assure qu'il est

maintenant prêt pour une vraie relation. Il attend « La bonne » depuis trois ans.

— Trois ans qu'il est célibataire ? !

— Oui, affirma Armel en lançant une croûte à l'oiseau qui venait de lui prendre son bout de pain des doigts : « Arnold, calme-toi sinon, je ne t'en lance plus ! ». Il faut les éduquer ces volatiles, sans quoi ils deviennent vite des rapaces... Voilà, bien envoyé... Donc, trois ans qu'il est célibataire, reprit-elle, mais il ne faut pas penser qu'il a été pur tout ce temps pour autant. Un homme reste un homme... Mais il y a quand même quelque chose qui me dit qu'avec toi, c'est différent. Il y a une énergie spéciale que je ne lui ai jamais connue avant.

Sandrine n'appréciait pas le fait qu'il ait été coureur de jupons, mais en même temps, s'il avait vécu ce qu'il avait à vivre, il ne regretterait rien plus tard. Et puis, il avait appris à vivre seul tout ce temps, ce qui était plutôt bon signe.

On cogna à la porte avant même que Sandrine eut le temps de commencer la phrase qu'elle s'apprêtait à formuler. Armel regarda sa montre.

— À cette heure-là, ça ne peut qu'être la folle... et ça commence bien mal la journée.

Bien sûr, Sandrine n'eut pas besoin de demander de qui elle parlait. Isabelle Lucas, qui d'autre ? Armel se leva pour ouvrir, mais à son heureuse surprise, de l'autre côté de la porte se trouvaient Marthe et sa cousine.

— Je suis vraiment désolée de venir si tôt, mais j'avais envie de vous présenter ma cousine... On s'en allait chercher des croissants nous aussi, en passant bon appétit, dit-elle en s'adressant à Sandrine qui lui sourit, et on a vu des morceaux de pain tomber de votre fenêtre. J'en ai conclu que vous étiez réveillées.

Armel rit.

— C'est vrai, je pense jamais que si les oiseaux n'attrapent pas leur pain au vol, ce sont des passants qui vont le recevoir sur la tête… et j'avoue que j'adore l'idée !

Sandrine rit à son tour.

— Quand ce ne sont pas des crottes d'oiseaux…
— C'est que je me le suis déjà fait reprocher et la mégère d'en bas devrait pas tarder à m'interdire de poursuivre ce manège qui me fait pourtant si plaisir, mais je l'emm… Oh pardon !

Dans le cadre de porte se tenait aussi un jeune d'une quinzaine d'années, l'air plutôt dégingandé, mais ce qui marquait surtout, c'était son regard, un regard triste.

— Armel, dit Marthe en voyant que la vieille dame l'avait remarqué, je vous présente Colin et Mariline.

Sandrine et Armel les saluèrent. Cette dernière fut surprise par l'allure de Mariline qui ne ressemblait en rien à celle de Marthe. Elle était tirée à quatre épingles, semblant faire de la mode et de l'apparence, une priorité. Elle était fraîchement maquillée et de ses cheveux blonds coiffés au carré, aucune mèche ne réussissait à s'échapper. Le fixatif faisait bien son travail. Elle avait des lèvres toutes minces décorées d'un parfait filet rosé et un mascara épaississait les longs cils entourant ses beaux yeux bleus. Armel pensa rapidement qu'elle devait être bien embarrassée avec toutes ses parures. « Ça nous repousse de l'essentiel. »

— Entrez, entrez, fit-elle en tirant des chaises de la table.

Marthe s'avança en premier.

— On voulait pas vous déranger. On faisait juste passer.
— J'ai des croissants et du pain pour tout le monde, je vous en prie, asseyez-vous.

Marthe regarda Mariline qui sourit. Elles acceptèrent l'invitation alors que Colin resta de glace. Il avait dans les yeux ce genre d'indifférence qu'on peut retrouver chez les adolescents... Non, il y avait plus, conclut Armel. Cet enfant était intrinsèquement blessé.

Sandrine aida Armel à dresser la table pour ses nouveaux convives.

— Vous êtes certaine qu'on dérange pas ?

Armel s'approcha et serra Marthe, qui était deux fois plus grande et plus grosse qu'elle.

— Si vous saviez comme rien ne me fait plus plaisir.

Les deux femmes s'assirent. Colin, les bras pendants et trop longs, préféra demeurer debout, accoté sur le cadre de la porte.

— Tu ne mangeras pas ? demanda la vieille dame.

Il soupira, sans rien dire.

— Tu pourrais répondre, dit sèchement Mariline à son fils en mangeant un bout de croissant. C'est très impoli. Mais pourquoi ça changerait...

Ces phrases de reproches semblaient frapper un mur d'indifférence.

— Il ne faut pas vous sentir mal pour lui, s'excusa la maman à Armel, il ne parle plus. Ça lui a pris un jour, il a décidé de ne plus nous adresser la parole. Il fait à peu près tout ce qu'il veut et s'entête à faire tout ce que nous ne voulons pas qu'il fasse. C'est comme ça. Nous en avons complètement perdu le contrôle. À son âge, on peut quand même pas le forcer !

Armel était troublée que sa mère parle de lui avec une telle désillusion, qu'elle le dépeigne ainsi, « lui », alors qu'il était dans la même pièce qu'eux. Rien de très bon pour l'estime de soi. Elle ne dit rien et servit des bols qu'elle remplit de café.

— Déjà qu'il vous ait suivie jusqu'à Belle-Île, c'est une preuve que vous n'en avez pas totalement perdu le contrôle, surenchérit la vieille dame.
— Il n'a pas vraiment le choix. C'est la condition que lui a donnée l'école de réforme. Sinon, il y retourne.

Armel grimaça et sa réaction parut. Mariline se hâta d'intervenir :

— Ça semble horrible comme ça, mais croyez pas qu'on n'a pas tout essayé pour empêcher que ça en arrive là. Ses jeux préférés sont les jeux vidéo où l'on peut tirer sur le plus de gens possible, où le sang explose, les films où ça s'entretue, bref, rien de bien rassurant... surtout avec ce qui se passe de nos jours. Est-ce qu'on va vraiment attendre qu'il commette l'irréparable avant de ré-agir ?

Armel avait le cœur gros. Elle avait vu deux enfants en une semaine et les deux, à des degrés divers, avaient des problèmes de vie. Oui, quelle tristesse. Elle sourit à Colin qui ne la regarda même pas. Ça viendrait…

Marthe changea de sujet en racontant à Armel ce qu'elle avait vécu hier en repassant l'histoire de celle qu'elle avait été, avant. Elle lui expliqua qu'elle ne s'était pas reconnue en revoyant la photo de cette pauvre femme, veuve dans l'âme avant même d'avoir été mariée. Armel la regarda, sans rien dire, et but calmement son thé. Étrangement calme. Quand Marthe eut terminé cette histoire qu'elle racontait avec ferveur, Armel lui prit la main et la regarda profondément dans les yeux.

— Contrairement à ce qu'il pense, Pol n'a pas toutes les photos et souvenirs de l'île. Il lui manque des pièces du casse-tête. Viens.

Toujours les mains entrelacées, les deux femmes se rendirent au salon au centre duquel trônait une vieille malle en bois. Armel ôta le vase de fleurs et la nappe de dentelles qui y reposaient et l'ouvrit. Des photos, des journaux, des journaux intimes s'y trouvaient, une vraie fortune pour Pol qui aurait sûrement soudoyé Armel s'il avait su qu'elle détenait tous ces trésors. Mais la vieille dame rusée savait que ce n'était qu'une question de temps ; à sa mort, tout ce qui lui appartenait lui reviendrait à lui.

Elle sortit un vieux registre de la mairie, jauni par le temps, dans lequel des tas de noms étaient écrits. Elle tourna les pages et parcourut les lignes jusqu'à ce qu'elle trouve.

« Noyale Bilodeau, mariée à Edwin Kervarker en 1866. »

— Noyale ? ! fit Sandrine, stupéfaite, dans la cuisine. Tu parles d'un nom prédestiné !

Personne ne releva sa remarque.

— Elle, c'était toi, dit Armel en posant son doigt sur le nom de Noyale. Lui, c'est celui qu'elle... que tu devais épouser ce fameux jour-là.

Sandrine et Mariline se levèrent pour les rejoindre au salon.

— C'est écrit qu'il se sont mariés, mais il est mort avant de la marier ! constata Marthe, stupéfaite.
— C'est ce qu'on a toujours pensé... mais d'après les registres, ils se sont bel et bien mariés en 1866. L'histoire officielle dit qu'il est mort et qu'elle s'est cloîtrée le reste de sa vie ou qu'elle est partie en Acadie. Le véritable récit, c'est qu'après avoir survécu à la noyade, il a été paralysé, son corps ayant frappé les rochers après qu'il eut plongé tête la première à l'eau. Sa future femme l'a recueilli, ils se sont mariés, mais ne pouvant supporter son impotence, au bout de quelque temps, il a décidé d'en finir avec la vie... et elle de le suivre dans la mort. L'histoire a été étouffée, car les deux familles portaient la honte. On ne se suicidait pas à l'époque... Mais c'est véritablement de cette façon-là que ça s'est passé.

Marthe, pensive, revivait dans sa tête des bribes de ses rêves. Le bateau, l'homme, la côte et la mer pour laquelle

elle avait toujours ressenti une fascination, relation mi-amour, mi-crainte, sans savoir vraiment pourquoi, et tout, soudain, prenait son sens. Peut-être que ça ne relevait que de la légende populaire, mais ça lui faisait un immense bien d'y croire et cette version correspondait beaucoup plus à ce dont elle rêvait toujours. La boucle semblait être bouclée et un poids s'ôtait de ses épaules. Elle pourrait enfin passer à autre chose.

Elle s'écrasa sur le dossier du fauteuil et laissa ses pensées vagabonder dans le lointain alors que Sandrine prenait d'autres photos dans la malle.

— Est-ce que je peux ?
— Bien sûr ! répondit Armel, qui s'approcha d'elle pour les lui commenter.

Mariline s'avança également alors que Colin, qui commençait à en avoir marre d'être debout, soupira, s'avança vers la table de la cuisine et prit une chaise pour s'y asseoir. Armel lui jeta un coup d'œil furtif et arrêta l'attention des femmes sur des photos en particulier.

— On voit ici les aiguilles de Port Coton à l'époque. Ça n'a pas tellement changé. Puis ici, c'est la maison quand j'étais petite. Elle n'existe plus aujourd'hui, mais le paysage non plus n'a pas changé ou si peu. Ça, fit-elle encore, c'est l'ancien camp de réforme de Belle-Île : le pénitencier pour enfants Haute-Boulogne qui a été érigé vers la fin du XIXe siècle. Très très difficile. Horrible même, je dirais.
— Il y a eu un pénitencier ici ? demanda Mariline.
— Et il y en a encore un… si on veut. Beaucoup plus tranquille toutefois. C'est un genre d'école pour jeunes à troubles de comportements.

Colin tourna la tête, presque inquiet. Et si les vacances à Belle-Île étaient un subterfuge ? Et si ce n'était qu'un prétexte pour venir l'y enfermer et l'abandonner à tout jamais ?

— C'est quand même bien de pouvoir se réhabiliter sur la plage, comme ça, avec la mer et tout, commenta Sandrine.

— Mais ça n'a pas toujours été le cas... Dans le temps, les jeunes étaient littéralement enfermés dans ces camps et leurs directeurs étaient terriblement rigides. On affamait les petits, on les battait, on les faisait travailler comme des forcenés. C'était la méthode dure qu'on croyait être la plus efficace. Heureusement, ça a bien changé... À l'époque, en 1934, les jeunes ont fait une révolte en plein été, au plus fort de la saison touristique. Ils se sont enfuis et on a offert une prime de vingt francs pour chaque enfant retrouvé... Je vous dis pas ce qui est arrivé !

— Quoi ? demanda Mariline.

— Ben... J'étais pas là, mais c'était une chasse aux enfants, ça c'est sûr !

...

— Je me demande ce qui est vraiment le plus efficace parfois. À force de négocier maintenant, on perd totalement le contrôle de nos jeunes, dit Mariline en passant les photos qu'elle regardait à Marthe qui, à son tour, les déposait sur la table.

— Même si je n'ai pas eu d'enfants, j'ai toujours dit que ce qui constituait le fruit d'une éducation réussie, c'était de laisser l'enfant s'épanouir librement dans un cadre, affirma la vieille dame. C'est ce qui assure le climat de confiance.

— C'est facile à dire pour vous justement, dit Mariline, quasiment amère, vous n'avez pas eu d'enfants...

Colin observa la scène alors qu'Armel la regarda quelques secondes et que Sandrine et Marthe baissèrent la tête, gênées. Si elles avaient pu s'enfouir le visage dans les photos, elles l'auraient fait.

— Pas besoin d'avoir le bras coupé pour comprendre que ça fait mal de le perdre, lui envoya sèchement Armel.

Malgré tout, elle ne lui en tenait pas rigueur puisqu'elle savait que cette femme devait terriblement souffrir devant son constat d'échec. Il était évident aussi que si elle, Armel, percevait ce sentiment chez une pure inconnue, son propre fils devait se sentir comme un raté de la pire espèce. C'était inéluctable. Elle passa donc l'éponge et enchaîna pour faire oublier le froid :

— Allez hop ! C'est pas pour vous bousculer, mais j'ai besoin d'aller au marché moi, question de me ravitailler un peu. Vous venez ?

Les femmes prirent leurs dernières gorgées de café, déblayèrent la table et partirent.

— Vous n'avez toujours pas revu vos chats ? demanda Sandrine en descendant les marches.
— Toujours pas, fit Armel, d'une petite voix.

La conversation s'arrêta là.

Chapitre 33

Le marché était bondé aujourd'hui. Les vacanciers étaient nombreux à venir y choisir leur saucisson, leurs olives, à acquérir des forfaits croisière, à s'acheter des livres sur l'île ; tout se vendait sur la Place du marché quand les touristes y étaient.

Sandrine cherchait le kiosque de fromages, et bien sûr, Pol, qui devait être très occupé ce matin. Elle le vit tout au bout et s'approcha de lui, suivi d'Armel qui semblait trottiner derrière elle. Marthe et sa cousine flirtaient avec les livres du bouquiniste et Colin vivotait, les mains dans les poches, toujours à la recherche d'un sens à sa vie. Sandrine adorait les effluves qui montaient dans l'air chaud et humide du matin ; celles de la mer se mêlant aux différentes odeurs du marché : les fromages, les viandes, les poissons, les olives, les épices, les fruits séchés et confits, les bonbons… Il n'y manquait plus que les chocolats pour que Sandrine soit au septième ciel. Elle adorait les chocolats. Mais ici, ils n'auraient pas fait long feu et auraient fondu vite fait. Les clients portaient déjà t-shirts et shorts et l'on prévoyait un achalandage digne des vraies vacances à la plage.

Les deux femmes croisèrent soudain Isabelle Lucas qui, l'air enragé, avançait d'un pas décidé et pressé. Elle continua sans les regarder, puis s'arrêta net pour les invectiver :

— Tout ça, c'est à cause de vous ! J'en suis absolument convaincue !

Armel et Sandrine se retournèrent pour la regarder passer.

— Vous êtes une véritable sorcière ! Une vieille chipie !

Armel était déconcertée par le traitement qui lui était réservé et ne comprenait pas ce qui le justifiait.

— Mais quelle mouche l'a piquée ? !
— Elle est peut-être dans son SPM !
— Qu'est-ce que c'est que ça ? demanda la vieille dame.
— Ses jours de femme… Enfin, ceux qui les précèdent.
— Si tu veux mon avis, elle semble toujours être dans ses jours de femme… si on peut appeler ça une femme.

Elle secoua la tête et elles reprirent leur marche pour arriver au kiosque de Pol.

— On a vu la Lucas. Elle semblait vraiment de mauvais poil, commenta Sandrine.
— Et pour sûr ! rigola Pol, fier et ravi.
— Comment ça, fripon ? s'intéressa Armel.
— Parce que personne ici n'a voulu lui vendre sa marchandise. Elle devra se tourner vers le supermarché.
— Non, c'est vrai ? ! s'exclama la vieille dame.
— Pour sûr !

Armel sourit tendrement à son presque fils et s'avança pour lui tirer une joue. Elle était beaucoup plus petite que lui, ce qui fit qu'elle dut s'étirer pour parvenir à ses fins.

— Que je t'aime donc, toi !

Dans les yeux de Sandrine, on retrouvait le même sentiment. Elle savait bien qui était l'instigateur de cette « rébellion » et admirait ce qu'il avait fait. Oui, Sandrine l'aimait bien et de plus en plus, même si elle demeurait sur ses gardes. S'il attrapait son cœur, elle était prise au piège.

— Et puis, comment sera la journée ? demanda Pol aux deux femmes.

— Je vais faire du petit point aujourd'hui, dit Armel.

— Vous ne viendriez pas à la plage avec moi ? Je prends congé cet après-midi. Impossible de travailler par cette chaleur.

— Na. Allez-y sans moi. L'eau me glace les os.

— Mais Armel, il va faire 35 degrés aujourd'hui !

— T'as vu ? fit-elle en tirant son pull brun, c'est pas la chaleur qui me tue. Aussi étrange que ça puisse paraître, je ne la sens pas. J'ai jamais senti la chaleur. Particulier, hein ?

— Pratique surtout, dit Pol en servant un client.

Armel se retourna pour voir de qui il s'agissait.

— Léon Cosquer !

Le sexagénaire se retourna à son tour vers elle et la regarda en fronçant les sourcils. On sentait qu'il avait de la difficulté à la replacer.

— Armel Legruec ! se présenta-t-elle.

— La petite Armel ? C'est bien toi ? !

— Vrai comme je suis là !

— Je me disais que ça se pouvait que je rencontre quelqu'un ici, mais toi !

— Tu me croyais morte, c'est ça ? l'agaça-t-elle.

— Arrête !… T'as pas changé.

Léon avait une bouille bien plaisante : une abondante chevelure grise, une barbe bien franche et des lunettes qui se teintaient lorsque le soleil cognait dessus. Aussi, comme les nuages filaient à vive allure dans le ciel, cachant parfois (et heureusement !) le soleil dans le ciel, les verres passaient du brun au transparent à intervalles réguliers.

— Ça te fait quel âge, ma très chère ?
— Et insolent en plus ! répondit Armel, qui refusait de dire son âge à son vieil ami.
— Tu ne les fais pas, en tout cas, ricana-t-il.

Une dame d'une trentaine d'années s'impatientait derrière eux. Sandrine lui jeta un regard assassin. Comme elle détestait ces tue-bonheur ! Ne pouvait-elle pas simplement profiter de la vie en partageant un peu du plaisir des autres. Comme on ne changeait pas la société, Pol dut intervenir :

— Est-ce que je peux vous servir autre chose ?, demanda-t-il à Léon.
— Donne-moi un bon qui-pue, n'importe lequel, et ça devrait être suffisant.

Pol sourit et s'exécuta.

— Tu es toujours en mer ? demanda Armel.
— Je le serai toujours, tu me connais.
— Ah, ça oui !

Léon regarda Sandrine qui écoutait la conversation derrière eux.

— Oh ! mais que je suis bête, dit Armel.

— Sandrine, je te présente Léon Cosquer, mon ancien... comment pourrait-on dire ?

— Ton ancien voisin.

Pol lui remit son paquet de fromages. Léon le remercia et se tassa pour lui permettre de servir la cliente suivante.

— Mais non tu n'as pas été mon voisin, tu n'as jamais habité la terre ferme !

— J'ai un terrain !

— Non constructible, comme la plupart d'entre nous.

— Mais un terrain quand même.

Armel sourit et précisa :

— En fait, ce sont les parents de Léon que j'ai surtout connus. Au décès de ma mère, ils ont été comme des parents pour moi. Léon était plus qu'un voisin, c'était un frère... Mais comme il était rarement à la maison, je l'ai peu côtoyé.

Elle le prit par les épaules.

— Il est marin. Un vrai de vrai. Le meilleur à mon avis. Pour mener convenablement sa vie, il n'a pas eu le choix de partir pour le continent... Le traître ! dit-elle en riant.

— Oh... Tu es dure Armel. Très dure. Tu sais comment je suis attaché à Belle-Île. Je n'ai pas trouvé mon âme ailleurs. Elle est ici. Rien à faire.

— T'inquiète pas, dit Armel à Sandrine. Ça fait ça à tout le monde.

Sandrine s'en doutait bien puisque plus les jours avançaient et plus elle se plaisait à découvrir ce petit paradis perdu.

— Et ton bateau, il est amarré au quai ?

— Oui, pour quelques jours. Mon aide est retourné aux études. Il n'avait pas vraiment le pied marin. Je me cherche quelqu'un d'autre.

— Tiens, tiens, fit Armel en réfléchissant.

— Ah, là tu penses à quelque chose...

— C'est pas l'âge qui va me ralentir, tu sauras. Et ton bateau, il s'appelle toujours « La lenteur » ?

— Certainement !

— La lenteur ? demanda Sandrine, étonnée. Pas très vendeur !

— Peut-être pas pour vous, gens de votre génération, mais le slogan de ma vie c'est « La lenteur, c'est le bonheur », il n'y a que ça de vrai... Sur la mer, je bosse des heures de fou, mais quand j'arrête et que je navigue, il n'y a que là où je puisse vraiment appliquer ce précepte.

Sandrine réfléchit. Elle était convaincue que le monde était rendu fou, et ça personne ne l'aurait contredit, mais elle était aussi persuadée que s'il l'était, c'était parce qu'on le forçait à vivre à contre-nature. Beaucoup trop vite. Peu importe le métier qu'on faisait, on le faisait à double et triple allure. Ça n'avait aucun sens, surtout quand on nous demandait de nous donner corps et âme pour des métiers qui n'avaient d'autre vocation que celle de faire de l'argent. Tu parles d'un sens à la vie ! Armel était réellement chanceuse de connaître tous ces gens riches en belles valeurs alors qu'elle, elle ne côtoyait que des copains pris dans leur carcan d'égocentrisme pur et dur. Elle soupira. Comment arriverait-elle à réintégrer sa vie d'antan après ce voyage ?

— Mon fromage va fondre au soleil, remarqua le marin, il pue déjà, mais passez me voir d'ici à mon départ. Je me ferai un plaisir de vous faire visiter ma cale. Visite gratuite, bien sûr... mais pas vraiment longue !

Sandrine sourit et lui tendit la main. Il s'approcha d'elle pour l'embrasser.

— Crois-tu vraiment que je pourrais laisser passer l'occasion d'embrasser une si jolie femme ?

Sandrine rit et se laissa embrasser fermement sur les deux joues. La barbe de l'homme était douce et sentait bon l'air du large et le frais d'une douche récente. Il semblait si calme dans ses gestes, dans son esprit, si confiant. C'est vrai que sur la mer, il devait avoir plein de temps pour réfléchir à la vie, pour mordre à belles dents dans le moment présent. Pour la jeune femme, c'était son principal défi. Elle se répétait plusieurs fois par jour qu'elle devait goûter à chaque instant, sans attendre plus tard ou espérer demain, ni encore regretter hier, mais elle n'avait pas appris et échouait quotidiennement. Dans sa famille, on courait pour essayer de cocher tous les éléments de la liste préparée même les jours de vacances et on se culpabilisait ensuite de ne pas être arrivé à tout faire. Ce devait être ainsi dans toutes les familles des grandes villes ou des banlieues. C'était inscrit dans l'éducation, mais certainement pas dans les gênes. Avec tous les épuisements professionnels, les dépressions et les médicaments pris pour soigner l'anxiété et donnés aux enfants déjà tout jeunes, quelque chose ne tournait pas rond... ou tout simplement trop vite. Sandrine se sentait constamment prise d'une surexcitation qui lui faisait perdre le contrôle de sa vie, de ses émotions.

Ici, pourtant, il lui semblait que le quotidien allait plus lentement, à un rythme normal. Elle s'efforçait de prendre des inspirations profondes comme le lui avait appris sa thérapeute et enfin, ça fonctionnait. Elle se sentait tranquillement replonger au fond d'elle-même. Il faut dire qu'elle était en vacances, comme beaucoup de gens ici d'ailleurs et que forcément, le rythme n'était pas le même que celui de Paris en plein mois d'octobre. Le Dalaï-Lama disait que le plus important n'était pas de faire, mais d'être. Il ne fallait donc pas se définir en fonction de ce qu'on accomplissait, mais plutôt de ce qu'on était en tant qu'être humain vis-à-vis d'autrui. C'était comme ça qu'on laissait sa marque. Sandrine adorait méditer là-dessus.

Léon prit congé d'elles en leur adressant un sourire franc et heureux. Comme il faisait du bien, cet homme ! Armel et Sandrine terminèrent leur tournée et se rendirent sur le bord de l'eau où Armel alla lancer aux oiseaux les quelques têtes de poissons qu'elle venait d'acheter.

— Comment fait-il pour être aussi calme votre ami ?
— Il a lâché prise, dit la vieille dame dont la voix était enterrée par le piaillement des mouettes et des goélands. On ne peut être plus heureux.
— Ça c'est bien, tout le monde essaie de lâcher prise, moi y compris, mais ça ne vient pas.

Sandrine enjamba le remblai face à Quiberon et s'y assit.

— Il ne faut pas attendre, jeune fille. C'est ça le problème. Lâcher prise, ça veut dire ne pas vouloir, juste laisser venir et accepter. Accepter l'anxiété, le stress, les malaises, le vide, la tristesse et le bonheur. Accepter ce que l'on est et ce que sont les autres, sans jugement. Laisser couler sur notre dos les événements comme l'eau sur la plage. Elle se retire à chaque vague.

Sandrine faisait balancer ses pieds dans le vide, se réjouissant du moindre soupçon d'air qui balayait son visage une fois de temps en temps. Elle essuya la sueur qui ruisselait au-dessus de sa lèvre.

— J'aimerais tant arriver à être comme vous tous, Léon, Pol, vous…

— Justement, tu vois, fit la vieille dame en lançant une tête à l'eau, il ne faut pas que tu veuilles. Il faut simplement vivre… As-tu vu Georges à côté de toi ?

Sandrine se retourna et constata qu'un goéland s'approchait doucement d'elle. Elle sourit. Non, elle n'avait pas vu Georges.

— Derrière nous, il y a une maman qui lance des cailloux avec son petit.

Sandrine se retourna à nouveau. Elle ne l'avait pas vue non plus.

— Et as-tu senti qu'un parfum d'anis se mêle à l'air salin ce matin ?

Elle prit une grande inspiration. Armel avait raison. Prise dans ses pensées, tordue à l'idée de vouloir être bien, Sandrine n'arrivait jamais à l'être totalement. Mais pourquoi ? Qu'est-ce qui pouvait bien l'inciter à se tourmenter de la sorte ?

La matinée dura comme ça et les deux femmes cultivèrent le bonheur. Tout simplement, sans l'appeler.

Chapitre 34

La plage semblait minuscule à côté de Donnant ou des Grands-Sables, prise entre un amoncellement de rochers à gauche, à droite, formant des recoins où les baigneurs pouvaient troquer leurs vêtements contre des maillots de bain. C'est d'ailleurs ce que Sandrine avait fait, tout juste avant de rejoindre Pol sur le bord de l'eau. Vazen n'était pas une plage aussi familiale que les autres, peut-être parce que les immenses vagues qui tourbillonnaient entre les récifs et qui venaient se fracasser sur la plage y étaient plus dangereuses. L'eau était très fraîche, mais sur un corps brûlant de chaleur, on éprouvait une jouissance assurée.

Sandrine commença par y tremper les pieds. Ce qu'elle appréciait, elle la frileuse, c'est que l'eau décidait pour elle du moment où elle se baignerait. Chaque vague venait la lécher à chaque pas un peu plus haut sur son corps, un peu plus fort. À tous coups, elle riait en poussant des cris aigus. Pol commençait à s'attacher à cette citadine qui avait des préjugés défavorables sur tout ce qui venait de la ville. Elle n'était ni pédante, ni stressante, plus énergique que tendue et ça lui plaisait bien.

Plus courageux, il avait déjà enseveli presque tout son bassin dans la mer mouvementée.

— Tu te baignes en slip ? dit Sandrine en pouffant de rire.

Pol se regarda le bassin.

— C'est pas un slip, c'est un caleçon. J'ai pas de maillot. À quoi ça sert de toute façon…

Il entra rapidement son corps dans l'eau, mais dès qu'une vague se retirait, Sandrine voyait le tissu coller à la peau et mouler le sexe de son ami. Elle ne pouvait s'empêcher de rire, et dut regarder ailleurs, de peur de le vexer.

— Je vois vraiment pas où est le problème ? persévéra Pol en levant les bras et en se regardant le caleçon. Il riait. Qu'est-ce qu'il y a ?
— Rien, rien, dit la jeune femme en avançant lentement, les bras croisés sur son corps pour se réchauffer.

Ce qu'il y avait d'amusant, c'est que comme ils n'étaient pas rendus au même niveau de la mer, lui plus téméraire, elle plus frileuse, certaines fois, c'est lui qui recevait le grand coup de vague, d'autres fois, c'était elle. Le ciel était fidèlement bleu.

— Allez poule mouillée, viens à l'eau, dit Pol en agaçant son amie qui prenait un temps fou à pénétrer dans la soupe.

Mais à peine eut-il terminé sa phrase qu'une vague lui passa par-dessus la tête, l'entraînant vers le bord de l'eau, sur le sable, sans qu'il ait eu le temps de se retourner pour la voir arriver. Il avait totalement perdu le contrôle. Il se releva avec peine et entendit Sandrine rire très fort. Évidemment. Et elle ne se gêna pas pour commenter :

— C'est toi la poule mouillée maintenant... et vraiment mouillée ! Et dire que je croyais que la mer n'avait plus de secrets pour toi, qu'elle ne t'étonnait plus ? !

Les cheveux de Pol dégoulinaient sur son dos. Son slip s'accrochait maladroitement à sa taille. Allait-il le perdre ?

Mais la mer ne pardonnait pas à celles et ceux qui ne la regardaient pas en face et Sandrine, qui avait maintenant le haut des cuisses dans l'eau, se retrouva à son tour sous l'emprise d'une vague sans pitié qui lui frappa le dos. On ne la vit plus pendant quelques secondes, puis, elle ressortit, tout aussi mouillée que son nouvel ami. Les deux riaient maintenant à gorge déployée. Ça y était, ils n'avaient plus froid. Ou ils s'en foutaient littéralement. Même si le bout de leurs orteils se laissait mordre par la température encore glaciale de l'eau, l'air ambiant était tellement chaud qu'ils avaient envie de s'amuser dans la mer toute la journée.

— Houla ! Celle-là ne va nous donner aucune chance ! lança Sandrine en se préparant au pire.

Pol regarda la vague d'un air averti et conclut, avec philosophie :

— Non, je crois pas. Les vagues, c'est comme les gens, ce ne sont pas celles qui semblent les plus méchantes qui frappent le plus fort.

Effectivement, cette vague, que Sandrine appréhendait tant, vint mourir bien avant d'avoir atteint ses cibles, mais la mer n'avait pas dit son dernier mot et la suivante frappa le couple de plein fouet et leur corps glissa jusqu'au bout. Dans l'eau, comme pour venir au secours de Sandrine, Pol lui attrapa la main. Leur ventre s'érafla au contact du sable, leurs nez et leurs yeux étaient attaqués par le sel. Pol l'aida à se relever de cette évidente défaite et au sortir de l'eau, elle prit quelques secondes pour reprendre son souffle.

— Ça va ? demanda-t-il tendrement.

Elle fit signe que oui et inspira un bon coup.

— Elle était forte celle-là. Ça m'a creusée. Si on mangeait ?
— Daco dac.

Ils montèrent vers la plage en se tenant toujours la main. Pol avait préparé le repas. Dans son sac à dos, on retrouvait deux bouteilles, une de vin, l'autre d'eau, deux pêches, deux sandwichs, un jambon-fromage, l'autre tomate-thon, un céleri rémoulade, deux crèmes Mont-Blanc, des Choco BN, des verres à vin et des serviettes de table. Ils se trouvèrent une place près d'un rocher qui leur faisait de l'ombre et où ils pourraient s'adosser.

— Wow ! s'étonna Sandrine en s'essuyant et en admirant le pique-nique, t'as pensé à tout !
— T'as l'air surprise… dit Pol en plaçant les aliments sur sa serviette.
— Non, non, c'est juste qu'on n'imagine pas qu'un homme célibataire ait tant de délicatesse et pense à des petits détails comme ça.
— Sexiste va ! Il sourit. Le détail, ça me connaît, je suis archiviste… Thon ou jambon ?
— Toi ?
— N'importe lequel, ça me va…
— Moi aussi.
— Bon… Je te donne le thon ?

Sandrine fit la moue.

— Le jambon ?...

Elle acquiesça avec un sourire coquin. Pol leva les yeux en l'air en souriant. Il lui tendit le sandwich en lui offrant également un verre de vin et un peu de céleri-rave qu'ils partagèrent dans le même plat. Au loin, on voyait des bateaux de pêcheurs et à gauche, une femme aux seins nus, vêtue d'une longue jupe blanche et munie d'un gant de plastique frottait avec une rapidité et une ardeur remarquables un rocher.

— Qu'est-ce qu'elle fait ? demanda Sandrine, intriguée.
— Elle pêche son repas du soir : des moules.

Sandrine la trouvait étrange. Ses mouvements paraissaient beaucoup trop rapides. Ses longs cheveux blonds frisés qui retombaient sur sa poitrine lui donnaient des airs de sirène, mais une sirène qui frisait la folie tant elle s'acharnait à la tâche. Pol la sortit de ses pensées :

— C'est à cette plage-là que je venais quand j'étais ado... L'endroit idéal. Le seul qui bougeait assez pour nous... J'étais plutôt heureux.
— Tu parles ! Mes cousins ont connu les banlieues... dit Sandrine en dégustant son sandwich.

Pol n'avait pas commencé à manger. Il admirait la mer et prenait son temps pour savourer chaque gorgée de vin. Il se sentait somptueusement bien malgré le soleil harassant qui sécha leur peau vite fait. Il ne pensait pas au travail qui l'attendait, pas plus qu'à sa chèvre à traire, son poulet à cuire ou à la paille de ses poules à changer.

Une famille venait de débarquer sur la plage et un chien courait dans tous les sens, excité par les vagues qui venaient lécher sa petite maîtresse d'une dizaine d'années. Il aurait bien aimé aussi entrer dans la vague, mais sûrement habitué à l'eau, il ne l'était visiblement pas au ressac. Les rires perçants de la môme faisaient sourire Pol et Sandrine.

— Moi, j'ai quand même préféré de loin l'enfance à l'adolescence… dit-elle.

— Et comment c'était ton enfance ?

— Enfance normale avec papa, maman, dans un petit immeuble de Lyon… mais c'est après que ça s'est détérioré. Ma mère ne m'aimait pas et comme elle me le disait ouvertement depuis que j'étais toute petite, il a bien fallu que je me révolte à 14 ans. Je suis partie de chez nous et je crois que j'ai tué mon père.

— Quoi ? !

— Je suis devenue ultra rebelle, j'ai fait des trucs pas trop corrects pour gagner ma drogue et peu de temps après, mon père est mort d'une crise cardiaque. Bonjour la famille ! Évidemment, je me suis sentie coupable… et ma mère n'a rien fait pour me dissuader du fait que j'étais la seule responsable de sa mort. « Il t'aimait tant, toi, sa petite fille, tu es partie, égoïste comme tu étais et il en est mort. »

— Sympathique comme tout, ta mère, dis donc.

Elle lui sourit et prit une gorgée de vin, puis croqua dans son sandwich.

— Mais il y a du bon dans tout et dans tous, poursuivit la jeune lyonnaise. Après la mort de mon père, ma mère s'est excusée pour la méchanceté qu'elle m'avait infligée depuis mon enfance et notre relation n'a pas cessé de s'améliorer. Je suis maintenant convaincue qu'elle était profondément jalouse de l'amour que son mari me portait.

Peut-être qu'il ne l'aimait pas vraiment et qu'il restait à la maison pour nous, mon frère, ma sœur et moi... Qui sait ?

Il y eut un moment de silence, mais Sandrine, malgré la gravité des confidences qu'elle faisait, continuait à manger avec appétit, démontrant qu'elle avait entièrement assumé cette longue partie de sa vie.

— Mais il y avait grand-maman Riou, qui m'aimait tant que ça compensait... Ça prend souvent juste une personne pour faire la différence et nous redonner confiance. Pour moi, c'était elle. Elle m'a montré à cuisiner, à faire de la broderie.
— Tu fais de la broderie ? l'interrompit Pol, étonné.
— Oui monsieur et de la dentelle en plus !
— Eh ben !
— Quoi ?
— Sais pas... de la broderie... Sais pas.
— Je gagnerais pas ma vie avec ça, mais je sais comment faire et c'est ce qui est important.
— Elle était bretonne ta grand-mère ?
— Oui, de Quimper.
— Tu peux pas faire plus dentelle que ça !...

Pol prit son sandwich au thon et se décida enfin à manger. Il regardait le chien tremper ses pattes dans la mer, puis revenir sur ses pas en courant dès que celle-ci remontait. L'animal se sentait totalement impuissant et pourtant, il aurait tant aimé rejoindre sa petite maîtresse qui s'amusait avec ses parents à sauter dans les vagues. À droite, des amoureux se bécotaient, assis sur le sable, en acceptant que les vagues touchent leurs orteils, et à gauche, trois jeunes garçons venaient d'arriver et jouaient au frisbee torse nu. La plage se remplissait peu à peu. Pol se retourna vers Sandrine et lui sourit. Elle lui rendit son sourire.

Chapitre 35

Alors que sa mère avait décidé de faire du lèche-vitrine avec sa cousine, Colin s'emmerdait royalement. Assis au bas de l'immeuble d'Armel, il lançait des grains de sable en l'air. Évidemment, de sa fenêtre, la vieille dame l'avait vu. Elle appela ses amis les oiseaux, question d'impressionner le jeune, qui leva la tête en l'entendant piailler. Il regarda quelques instants le spectacle de ces bêtes ailées, mais s'en désintéressa bien vite. Il était trop vieux pour être fasciné par ce manège, aussi magique pouvait-il être. La vieille dame soupira en songeant à quel point ce jeune avait tout abandonné de son cœur d'enfant. Peut-être n'en avait-il jamais eu ?

Quelques instants plus tard, Bastian arriva sur sa bicyclette derrière laquelle il avait secrètement fait provision de denrées au supermarché pour la vieille dame.

— Salut ! lança-t-il à Colin qui, non seulement ne lui répondit pas, mais daigna à peine le regarder.

Bastian s'en foutait. Petit et débrouillard, il avait une étonnante confiance en lui pour ses dix ans. Affable et généreux, il n'était pas mollasson pour autant. Au contraire ! S'il avait réussi à se tailler une place de chef dans sa bande, malgré sa taille bien en deçà de la moyenne, c'était grâce à son intelligence, à son audace et à sa verve. Il employait sa langue comme un balèze utilise ses bras ; à tout coup, il mettait son adversaire K.O. Et le tout, sans arrogance, ni méchanceté. Sa mère l'avait élevé en lui rappelant quotidiennement : « Si tu veux battre les autres, bats-les avec ta tête, sois plus intelligent qu'eux. » Bastian savait comment se défendre. Avec Colin, il avait cru bon de ne pas relever le silence que son interlocuteur tenait à perpétuer. Il le respectait et ne se sentait pas visé personnellement. Beaucoup plus adulte que bien des adultes.

Il défit de l'arrière de son vélo les cordes qui tenaient les sacs d'épicerie en place et s'apprêta à entrer dans l'immeuble, mais Colin ne l'entendait pas ainsi.

— Où tu crois aller, la larve ?

Bastian fixa bien dans les yeux celui qui voulait s'opposer à lui et lui répondit, d'un ton de voix décidé :

— Je vais voir Armel, et tu le sais très bien. Alors, s'il te plaît, laisse-moi passer.

Bastian tenta de forcer le passage, mais Colin se leva et le lui barra.

— Et si ça me tente pas ?

Bastian soupira, laissa passer quelques secondes et inspira profondément. En expirant, il émit de petits cris semblables à ceux qu'Armel faisait souvent quand elle parlait à ses oiseaux. Soudainement, une nuée de mouettes et de goélands se rua sur le nouveau venu qui tenta de s'en défendre en remuant les bras, mais les bêtes lui rasèrent le crâne avec tant de précision qu'elles évitaient les coups de poing de leur ennemi. Les passants se retournèrent pour assister à ce spectacle qui ressemblait à s'y méprendre à une scène du film « Les oiseaux » d'Alfred Hitchcock.

— Arrête ! hurla Colin, paniqué. Arrête, je te dis !

Bastian fit durer le supplice encore quelques secondes, puis lança à nouveau des cris qui dispersèrent les oiseaux sur la Place du marché. Le gamin passa derrière Colin.

— L'intelligence, c'est aussi être capable de mesurer la force de l'adversaire avant de l'attaquer... Faut pas se fier aux apparences... Et puis, tu sais, avec ce que je viens de voir, je me demande qui c'est la larve... En tout cas, tu semblais être bien appétissant pour mes amis.

Il prit ses sacs et disparut à l'intérieur de l'immeuble, abandonnant un Colin humilié, certes, mais surtout abasourdi. Ce petit morveux savait parler aux oiseaux ! Il n'en revenait tout simplement pas.

Bastian redescendit après quelques minutes, sans rancune, avec des biscuits dans les mains.

— T'en veux ?

Colin ne le regardait plus de la même façon et lui vouait au contraire un respect évident. Il accepta humblement les pâtisseries au chocolat qu'avait sûrement préparées Armel.

— J'ai fini mes corvées, ça te dirait de venir faire un tour de ville avec moi ? Je te porte sur mon vélo.

Colin sourit, presque condescendant, voyant la taille du vélo, mais surtout celle de celui qui se donnait comme mandat de le porter sur l'arrière de sa bécane. Il constata toutefois que le petit était on ne peut plus sérieux et n'osa pas le mettre une fois de plus au défi. Après tout, il ne fallait pas se fier aux apparences ; il l'avait appris à ses dépens. Et de toute façon, que pouvait-il faire de plus ici ?

— Ok.

Il chevaucha le vélo et contre toute attente, Bastian escalada la forte côte de l'avenue Carnot, sans broncher, sans même s'essouffler. Belle-Île, il la connaissait par cœur et son cœur aussi la connaissait. Il était gaillard, étonnant. Colin n'en revenait tout simplement pas. Des touristes avaient abandonné et montaient la côte à pied à côté de leur bicyclette alors que ce minus les portait tous les deux avec une force à rendre jaloux les cyclistes les plus invétérés.

— Je voudrais faire le tour de France. C'est mon rêve et je crois bien que je vais y arriver bientôt.

Cette fois, Colin lui faisait confiance. Bastian avait tout pour réussir.

Chapitre 36

Bastian pointa un immense terrain entouré de haies, près des plages de sable blanc. Ils s'arrêtèrent.

— Ici, c'est un genre d'endroit où viennent les jeunes qui peuvent plus aller à l'école parce que personne ne veut d'eux ou encore parce qu'ils ont trop de difficulté à apprendre. C'est plutôt bien... Ils font des activités, rendent des services à la communauté, tentent de reprendre le bon chemin, mais ça n'a pas toujours été aussi rose. Quand ma grand-mère était jeune, c'était une maison de réforme très, très sévère. On y envoyait les jeunes un peu comme toi, qui jouaient les durs.

— Hé, oh, pousse pas quand même...

— Ben quoi... En tout cas... C'était une prison avec des gardiens tortionnaires à la cravache et tout. Je te dis pas, la vache ! Les enfants étaient fréquemment battus, on se la jouait dure et ceux qui entraient là étaient changés pour la vie. Ils ne mangeaient pas à leur faim et l'hiver, on les laissait crever de froid.

Colin pensa à Armel, qui avait déjà parlé de cet endroit, et se demanda s'il n'y avait pas conspiration. N'était-ce pas elle qui avait demandé à son jeune coursier de lui faire voir la maison de réforme, question que ça le décourage de faire des âneries et que ça lui donne envie de se mettre au pas ?

Bastian mit la béquille de son vélo et s'assit sur le gazon devant le terrain pour prendre une pause bien méritée.

Il s'essuya le front sur son t-shirt à l'effigie du personnage de BD, Cédric. Colin demeura debout, mais ne sembla pas moins intéressé par l'histoire que lui racontait son cadet.

— Un jour, il y a même eu une révolte. Ils ont enlevé un des gardiens, Burlut qu'il s'appelait. Ils l'ont pris en otage sur la mer.

— Comment ils ont pu faire pour aller sur la mer puisqu'ils étaient en prison? demanda le délinquant, perspicace.

— En fait, comme la plupart de ces jeunes-là avaient pas d'instruction, la prison voulait au moins leur donner la chance de se débrouiller dans la vie et leur apprendre le métier de pêcheur. Ils les amenaient en mer, une fois de temps en temps, pour qu'ils se familiarisent avec les rudiments de la pêche. Ils avaient bien prévu leur coup. Cette fois-là, rendus en mer, ils ont orchestré toute une manœuvre pour buter leur gardien et prendre la fuite. Mais le problème, c'est que la mer, ils ne la connaissaient pas trop et c'est elle qui a eu raison d'eux.

— Qu'est-ce qui s'est passé ?

— Ils ont été secoués par les vagues et le bateau a frappé les récifs. Ils ont tous péri. Enfin, c'est ce que l'histoire raconte… Mais qui sait, peut-être que quelques-uns ont réussi à se pousser et à changer de nom rendus sur la côte parce qu'on n'a pas retrouvé tous les corps. D'ailleurs, ma grand-mère dit qu'elle en a eu un chez elle.

— Quoi ? Un prisonnier ? ! fit Colin, impressionné.

— Ouais, dit Bastian, fièrement. Elle était en train de préparer le dîner pour tout le monde quand elle a entendu gratter à la porte. Elle s'y est rendue et y a trouvé un garçon d'une quinzaine d'années, transi de froid. Elle connaissait la réputation des gardiens et savait que le jeune courait à sa perte s'il retournait là-bas après ce qu'ils avaient fait. Elle l'a donc caché sur sa ferme, en échange de son aide pour faire les corvées. Il est devenu un peu comme son fils. Puis un jour, il est parti comme il était apparu, sans rien dire.

Colin réfléchissait à toute cette histoire, mais ne commentait pas. Évidemment, il faisait le parallèle avec sa propre réalité. Il sentait qu'il était mal dans sa peau, mais n'arrivait pas à en saisir la raison. Il avait besoin de liberté plus que n'importe qui et ici, enfin, il respirait. S'il était encore pris en possession de stupéfiants, c'était sa fin. Pour l'instant, il ne sentait pas le manque.

Bastian le mena sur la plage où ils discutèrent de leur vie. Colin parla peu, mais répondit aux questions, ce qui était déjà un bon début pour la communication. Ainsi, Bastian apprit qu'il avait abandonné l'école à douze ans, que son père était toujours absent, faisant la navette entre Londres et Paris pour son travail et de Paris à Bordeaux pour retrouver la maison… de moins en moins souvent. Son fils était convaincu que c'était parce qu'il ne le supportait plus. Évidemment, les retrouvailles ne se passaient pas à merveille. Le tableau : d'un côté, on avait une femme qui reprochait à son mari ses absences répétées, de l'autre ce dernier qui faisait de son mieux pour nourrir sa famille et au centre, un jeune qui se sentait coupable de ces absences, bref, une ambiance qui se détériorait à vue d'œil.

Bastian aussi vivait seul avec sa mère, mais ça avait toujours été ainsi puisqu'elle avait perdu son mari, mort d'une thrombose quand le petit n'avait que deux ans, et qu'elle n'avait jamais réussi à refaire sa vie. Pas vraiment. Mais Bastian était un petit garçon profondément heureux, quoiqu'il arrive. Il avait connu Armel sur la rue et lui avait rapidement offert ses services. N'importe quoi pour gagner un peu d'argent et bien sûr pour aider. Mission accomplie. En prime, il avait gagné l'amitié d'une des plus affables habitantes de l'île. Elle lui avait beaucoup appris.

— Tu parles vraiment aux oiseaux ? demanda Colin en lançant des galets dans la mer.
— Ouais, et c'est pas si difficile que ça, tu sais… Si tu veux, je t'apprendrai.
— On va voir… Je sais plus parler aux gonzesses, si tu veux mon avis. D'ailleurs, où elles sont ici ?

Bastian haussa les épaules et ne répondit pas. Il s'en foutait. Colin ôta son t-shirt et fonça dans la mer pour nager un long moment.

Chapitre 37

Le soleil tombait à l'horizon et Sandrine entendait hurler les chiens d'un proche voisin. Autant il avait fait terriblement chaud aujourd'hui, autant la fraîche s'était levée avec assurance ce soir. Assise devant le feu, elle regardait les flammes danser et engloutir la chair dégoulinante du poulet. Le fumet qui s'en dégageait était affriolant : un mélange d'herbes fraîchement coupées du jardin, l'odeur du beurre fondu mélangé aux graisses naturelles de la volaille, le bois qui brûle ; Sandrine avait résolument très faim. Pol coupait les légumes pour la salade. Elle avait tenu à l'aider ; il avait insisté pour tout faire.

— C'est ta soirée.

Ils avaient dressé la table dehors, à l'initiative de Sandrine.

— Ça me rappelle mes vacances d'enfance. Chaque jour, c'était la fête, le pique-nique.

Le vin trônait au beau milieu de la table à côté de cette salade multicolore de radis, laitue, échalotes, champignons, poivrons rouges et fleurs comestibles dont Sandrine ne connaissait même pas les noms. Dans un poêle à bois en retrait de la cour chauffait un bouillon de poule.

— C'est pour quoi faire ? demanda Sandrine en furetant dans la marmite.

Pol avança avec, dans les mains, une boule de pâte composée d'œufs et de farine.

— C'est un bouillon de poule pour faire cuire des crassens. C'est une spécialité de l'île que je tenais à te faire goûter. Ma grand-mère m'en faisait des excellentes et m'a transmis la recette. À l'époque, c'était le plat du pauvre.

Sandrine jubilait déjà à l'idée de goûter un nouveau plat. Elle regarda se préparer le met puis releva la tête. Son regard croisa celui de Pol et elle sentit la gêne monter en elle. Mal à l'aise, elle retourna s'asseoir à table et prit une gorgée de vin en regardant le repas se faire, mais ses pensées partirent rapidement ailleurs. Encore incapable de savourer entièrement le moment présent, elle anticipait ce qui se passerait peut-être avec Pol, alors qu'ils vivraient l'enivrement de l'alcool et l'intimité du soir. Sa peau gavée de soleil l'étourdissait déjà.

Le roulement des pneus sur le gravier la sortit de ses rêveries. Intrigué, Pol se dirigea devant sa maison où il accueillit ses amis.

— Eh bien, t'es enfin sortie ! Qu'est-ce qui t'a donc décidé ? demanda-t-il à Armel en l'aidant à s'extirper de la voiture de Marthe.
— C'est ton poulet ! Qu'est-ce que tu crois ? ! dit-elle en rigolant.

En réalité, elle était trop orgueilleuse pour avouer que tranquillement, la vie devenait insupportable dans son havre de paix. La Lucas avait choisi ce soir pour terminer le sablage et le vernissage des planchers, ce qui rendait impossible la présence de quiconque sous son toit. Marthe lui avait proposé de partager son appartement et Armel n'avait pas eu le choix d'accepter. Pour le repas, elle avait pensé que Pol lui offrirait l'hospitalité.

— Et tu as bien fait.

Il la serra très fort dans ses bras.

— Vous venez ? demanda-t-il à Marthe, Mariline et Colin.
— On avait pensé manger à la crêperie, répondit Mariline.
— Elle attendra… mais mon poulet est bon maintenant.
— Vous en aurez jamais assez !
— On a toujours à manger pour ses amis, dit Pol en entrant dans la maison. J'ai des sardines dans le frigo et je vais faire d'autres crassens, c'est tout.
— Des quoi ? marmonna Colin, l'air inquiet.

Personne ne releva. Pol entre chez lui et en ressortit avec, dans les bras, une généreuse salade de patates au lard, version été !

— T'avais prévu le coup ou quoi ? demanda Sandrine en rigolant.
— Je savais que tu mangerais ici ! Tu m'as pas dit que t'étais gourmande ? demanda l'hôte, moqueur.
— Gna, gna…
— Bon, ben, c'est ok, conclut Marthe en demandant toutefois avec délicatesse : vous êtes certains que ça dérange rien ?
— Certain, la rassura le maître de la maison en plaçant quatre chaises de jardin autour du feu.

Les convives étaient apparemment ravis.

— Est-ce qu'on peut t'aider ? demanda Mariline avant de s'asseoir.

— Il me reste seulement à attendre que le poulet soit prêt et à rajouter des couverts.

— Je m'en occupe, dit Sandrine en se précipitant à l'intérieur sans attendre de réponse.

Elle aurait aimé avoir de l'intimité ce soir, mais elle n'était pas déçue. Elle appréciait tous ces gens réunis ici. Le chien d'en face venait de se joindre à eux et s'intéressait de près à Colin, qui ne semblait pas mécontent de le voir. Il s'agenouilla pour le caresser. Pour Armel, c'était un bon signe. Il y avait donc de la tendresse dans cet adolescent et de l'espoir. Le chien, un mélange de Labrador et de Bouvier, s'assit à ses pieds en regardant le poulet tourner devant lui et en se léchant les babines. Sandrine finit de dresser le couvert, aidée de Marthe et de Mariline alors que Pol posa les sardines sur une grille dans le feu. Les femmes se rassirent en sirotant leur apéritif. Le ciel était enveloppé de gris, de pourpre et de violet, des couleurs qui offraient un spectacle éblouissant. Sandrine prit une grande inspiration. L'air était bon, frais. Les effluves du repas se mêlaient à celles de la campagne, des herbes des landes avoisinantes, des cupressus, des thuyas, des tamaris. Ils étaient assez loin de la mer, mais Sandrine entendait encore les vagues la bercer, souvenirs d'une journée mémorable. Il lui paraissait évident qu'à Paris et en banlieue, l'effet de serre et sa canicule avaient dû faire quelques victimes aujourd'hui.

— Quand j'étais jeune, dit Armel, on faisait cuire les sardines sur les rayons des roues de vélo.

— Comment ? ! dit Mariline, amusée.

— Ah ça, je me souviens pas... Je sais seulement que je trouvais bien étrange de voir nos vélos soumis à un tel sort chaque fois qu'il prenait l'envie à mon père de nous faire manger ses sardines.

Pol vérifia la braise en y enfouissant une fourche et ajouta une bûche pour s'assurer que le feu faisait son travail jusqu'au bout. Il remplit les verres de chacun et s'appuya le fessier sur la table de bois en posant les jambes devant lui.

— Alors, cette journée, elle était belle ?
— Très… On a fait du shopping, dit Mariline, puis on est allées visiter le bourg de Locmaria, on s'y est baignées et on a mangé une glace dans un troquet ouvert pas loin. Il faisait une chaleur !
— Nous sommes allées voir les fameuses aiguilles de Port Coton et le phare de Kerdonis, ajouta Marthe. Toute une histoire, hein ?

Armel acquiesça.

— Qu'est-ce qu'il y a eu ? demanda Sandrine.

Pol s'alluma une cigarette. D'un geste sec qui surprit tout le monde, surtout le principal intéressé, la vieille dame se leva et donna un coup à la clope qui voltigea dans les airs pour atterrir aux pieds du chien.

— Arrête ça, assassin ! Comment se fait-il que tu n'aies pas cessé encore cette vieille habitude démodée et malsaine ?
— Voyons Armel, vous savez bien que je n'ai jamais suivi les modes…
— Ben pour ça, tu devrais. C'est inacceptable. En tout cas, tant que je serai en vie, tu ne pointeras pas ça devant moi. J'espère que c'est clair.

Colin se mit à rire d'un rire franc. Armel lui fit un clin d'œil alors que Pol soupira, vaincu.

Il plongea sa main dans le bol à salade et vola quelques feuilles de laitue. Une fois de plus, la vieille remit ça en lui infligeant une vilaine tape.

— Mais qu'est-ce qui te prend, malappris ?
— Je suis chez moi Armel, arrêtez donc !
— Chez toi ou pas, on ne se sert pas dans un plat à salade destiné à tout le monde.

Il se résigna et plongea sa main dans sa poche de short.

— Et des cachous, ça va ? Pas trop grave ?
— Ça va… Quoique ça va te couper l'appétit, non ?
— Un cachou pèse environ 0,005 grammes. Je crois que ça devrait aller.

Il s'en mit donc un dans la bouche et se reposa pendant que son amie, aussi têtue qu'attachante, expliqua l'histoire du phare de Kerdonis à Sandrine qui voulait tout savoir.

— C'était au début des années 1900, vers 1910, je crois. Ce soir-là, le gardien de phare va faire sa ronde pour vérifier que le feu de la lanterne est toujours allumé. C'était pas alimenté à l'électricité à l'époque et pour les navigateurs, ces phares étaient vitaux. Quelques heures plus tard donc, le gardien est pris d'un malaise et meurt dans les bras de sa femme. Cette dernière, éplorée, ne peut pas s'apitoyer longtemps sur son sort puisque là-haut, le travail doit être fait comme d'habitude pour éviter les naufrages. Elle laisse donc son défunt mari en place et tente de reprendre son travail, mais comble de malheur, le mécanisme de la lanterne ne fonctionne plus. Elle demande donc à ses deux enfants, pas très vieux, je ne sais plus…

— Neuf et quatorze ans, l'interrompit Marthe.

— C'est ça. Un gars, une fille aussi je crois.

Marthe opina.

— Elle leur demande de faire le travail du mécanisme et avec leurs deux petites mains de faire tourner la lanterne pendant des heures et des heures, malgré le fait qu'ils soient effondrés à l'idée d'avoir perdu leur père. Ils n'en pouvaient tout simplement plus, mais ils ont assuré la sécurité des navires et l'histoire les a récompensés en se souvenant d'eux.

— Hé ben ! dit Sandrine. Vous en avez des récits tristes sur cette île.

— Et des belles aussi, ajouta Pol en se levant, mais celles-là on les fait au jour le jour.

Il retourna le poulet avec sa fourchette en prenant soin d'en piquer les cuisses. Du jus s'en écoula, attisant les flammes qui s'élevèrent en faisant rôtir la peau.

— C'est bientôt prêt.

— Oh oui ! Elle en a des histoires mon île, fit Armel, nostalgique en sirotant son vin, les yeux fixes, comme hypnotisée par le feu.

Sandrine lui lança un regard furtif, se demandant si elle devait soulever cette ambiguïté ou la laisser s'éteindre discrètement. Armel avait décidément des secrets bien enfouis dans toute son âme. Pol mit fin à son dilemme en poursuivant la conversation :

— Il y en a même qui disent que plusieurs maisons de l'île sont hantées…

— Cool !

Les yeux de Sandrine brillaient. C'était vraiment une enfant. À côté d'elle, Colin ne s'ennuyait pas non plus. Pour une fois qu'on ne parlait pas politique ou économie ! Il faisait toutefois semblant de ne pas écouter et caressait le chien qui s'était écrasé sur ses jambes.

— C'est des racontars ça, pour attirer les touristes, poursuivit Armel. Je veux croire que la Bretagne est bien mystérieuse avec ses elfes, ses korrigans et ses Merlins l'enchanteur, mais quand même, des fantômes... Pfff... N'importe quoi... J'en ai vu des maisons dans l'île et fis-toi à moi, les seuls fantômes qu'on retrouve ici, c'est les fantômes de nos souvenirs...

Tout le monde commençait drôlement à avoir faim. Aussi, ils accueillirent tous Pol et son poulet avec joie. La table était abondamment remplie, invitante, et ça se passa comme ça, simplement, lentement, amicalement. Les éclats de rire fendirent l'atmosphère entre deux bouchées, comme prévu, absolument savoureuses. Légèrement enivrée par l'alcool, Sandrine croisait fréquemment le regard de Pol qui le lui rendait bien. C'était électrisant... et visible. Ils tentèrent d'être plus discrets. N'empêche, c'était là...

Une nuée de mouettes arriva soudain et fit réagir Mariline, qui poussa un cri :

— Mon Dieu, ils nous en veulent ! C'est le poulet ! C'est le poulet !
— Tu délires, maman. Ce sont ses oiseaux, dit Colin en désignant la vieille dame qui lui sourit.

Mariline se retourna d'un coup. Il avait parlé ! Il avait parlé ! Il renouait avec la vie, avec le monde !

— Tu vas voir, elle va leur parler et les nourrir.

Armel arracha des morceaux de pain de la baguette et les lança à ses amis, tout en leur faisant la conversation.

— Holà Armel, laissez du pain pour nous, demanda Pol en riant. On n'a pas encore mangé le fromage.
— Crains pas, dit-elle, en continuant de servir ses bêtes aussi généreusement.
— Mais elle leur parle vraiment, je l'ai vue faire ! ajouta l'adolescent.

Mariline sourit.

— C'est vrai, tenta Colin encore une fois. Je l'ai vue faire ! Ils font tout ce qu'elle lui demande.
— Oui, oui, je te crois, encouragea sa mère, mais on sentait bien qu'il n'en était rien.
— Méfiez-vous... dit Armel à la femme sceptique, si vous vieillissez trop vite dans votre cœur, votre corps vieillira plus vite aussi.

Mariline qui, visiblement, portait une attention soutenue à son apparence, ne dit plus rien, médita sur cette réflexion qui avait plu à son fils. Décidément, il commençait à bien l'aimer la vieille.

Chapitre 38

Ils en étaient aux fromages. Armel avait-elle le vin triste ? C'était comme si ces derniers jours, elle avait fait le tour de sa vie, à la vitesse accélérée, comme lorsqu'on pousse son dernier soupir. Aussi, après avoir regardé Pol et Sandrine, en les fixant longuement, profitant d'un moment de silence apaisant, elle se lança, racontant cette histoire prise au cœur de sa vie, mais qui n'avait aucun lien avec les conversations qui étaient nées et qui s'étaient éteintes dans la joie ce soir :

— Moi aussi, j'ai connu l'amour. Le vrai, un amour comme on en voit seulement au cinéma. Il s'appelait Franz. Il était grand, beau… Enfin, je ne sais pas s'il était vraiment si beau en fin de compte, mais il était d'une grande gentillesse et je ne voyais que lui.

Les convives levèrent les yeux en écoutant religieusement l'ancienne, intéressés de la voir se donner ainsi dans un souffle spontané.

— Il avait les cheveux blonds, des lunettes, des yeux bleus et un corps de Dieu. Oui, il était très grand, beaucoup plus grand que moi et pour l'embrasser, je devais me casser le cou. Affable, il était toujours prêt à rendre service et toujours en avant de mes besoins. Je n'avais jamais connu ça auparavant. Vous me direz que j'étais très jeune aussi, j'avais 22 ans. Mais y a-t-il un âge à l'amour ?

Elle prit une gorgée de vin.

— Non, il n'avait pas de vices, pas à mes yeux... Mais il avait le pire des défauts aux yeux de tous : il était allemand. En 1943, ça ne pardonnait pas.

Pol cessa de manger et releva la tête en regardant la vieille dame. De toute évidence, il ne connaissait pas cette histoire, mais par respect il ne voulut pas interrompre les confidences de celle qui, visiblement, avait gardé ce secret pour elle beaucoup trop longtemps. Dans un village où tout se sait, c'était étonnant. Il n'y avait plus de légèreté dans sa voix chevrotante. On pouvait même détecter une certaine douleur. Sandrine jeta un coup d'œil à Pol, puis reporta son attention vers sa vieille amie. Le ciel était couvert de noir maintenant et seul le spectre d'une demi-lune et le feu les éclairaient.

— Mon père a tout fait pour nous séparer... et il a réussi avec un bon coup de pouce donné par la fin de la guerre. Voilà que Franz a été chassé de l'île. Il était ennemi dans toutes les situations : chassé par ses collègues qui ont pris la fuite sans lui parce qu'il avait aidé des Bellilois et osé aimer une Française, chassé par les gens d'ici qui, pourtant, savaient à quel point il était gentil. Mais la politique pourrit les cœurs et quand il s'agit de punir l'ennemi, l'individu n'a pas de salut. Tout le monde est jeté dans le même panier... Franz a voulu m'emmener avec lui, mais mon père a trafiqué notre rendez-vous qui s'est transformé en rencontre manquée. Mon amoureux a pris le dernier bateau sans moi. Je ne l'ai jamais revu. On s'aimait si fort... mais comme papa lui a fait croire que j'avais choisi ma patrie plutôt que lui et que c'était en me laissant partir qu'il pouvait me rendre heureuse, je ne l'ai jamais revu.

Un silence de plomb planait sur l'assistance. On sentait encore beaucoup de nostalgie et de souffrance dans sa voix. Colin aussi buvait ses paroles ; la vie d'adolescent rebelle qu'il vivait quelques jours auparavant lui semblait soudainement puérile à côté de ce dur récit.

— C'est tout ce que je dirai ce soir.

Personne ne posa de questions. Le silence demeura quelque temps, puis Pol se leva pour resservir tout le monde et on passa au digestif en parlant de tout et de rien, de leur vie, de leur voyage, de l'été et des rencontres que faisaient Armel chaque fois, puis ils parlèrent de Justine et d'André, du petit Théo, de leur dynamique, du métier d'André, rédacteur en chef et propriétaire d'un journal spécialisé en tourisme, de la maison qu'ils avaient finalement louée sur le bord de la mer à bon prix grâce à une connaissance d'Armel, bref de ce qu'ils étaient tous plus ou moins depuis leur arrivée sur l'île. Ils laissaient filer le temps et appréciaient tout simplement le moment présent jusqu'à ce que la fatigue les rattrape.

Chapitre 39

Il devait être 1h du matin lorsque Pol et Sandrine décidèrent d'entrer. Il faisait beaucoup plus frais et la chaleur emprisonnée à l'intérieur après une journée de canicule les réchauffa instantanément. Pol la conduisit à son lit et s'assit à côté d'elle.

— C'était une belle journée, dit-elle, une journée de vacances de rêve. Merci.
— Tant mieux si t'as apprécié.

Il avait une irrésistible envie de l'embrasser, elle le sentait bien et des papillons s'ébattaient dans son ventre. Allait-il se commettre ?

— Qu'est-ce que tu fais demain ?
— Je sais pas, répondit-elle. Tout dépend du temps, de mes envies… Je vais probablement découvrir une plage, s'il fait chaud comme aujourd'hui, peut-être une randonnée, si c'est plus frais.

Pol hocha la tête en guise d'approbation.

— Bon, bien, bonne nuit.
— Bonne nuit, fit-elle, gênée.

Mais pour la première fois, il lui semblait qu'elle n'était pas la seule à l'être. Pol était apparemment aussi mal à l'aise. Il se pencha sur elle pour lui faire la bise, mais Sandrine se retourna d'un coup sec et le surprit en lui présentant ses lèvres. Pol y goûta et les trouva délicieuses. Pulpeuses, tendres, il n'en fallut pas plus pour que leurs langues se touchent en virevoltant un peu maladroitement au départ, mais ils prirent rapidement le rythme et les sensations devinrent agréables. Malgré une excitation qui ne pouvait se cacher, ils ne se laissèrent pas emporter par l'émotion et se caressèrent avec douceur en se regardant, tout simplement. Leurs mains explorèrent leurs corps dans leurs moindres recoins. Pol ôta le t-shirt de Sandrine alors qu'elle passa sa main sous le sien. Sa peau était soyeuse, ses muscles bien que discrets étaient fermes, exceptés peut-être des abdomens un peu proéminents et mollasses. Mais Sandrine connaissait la signature de la trentaine chez l'homme et savait que ça la rattraperait bien vite, elle aussi, après un ou deux enfants, ou à la cinquantaine. Malgré sa corpulence un peu plus forte que les filles de son âge, elle n'en avait pas honte. Elle aimait vivre, elle était bien dans sa peau et se trouvait à son goût. À entendre le souffle accéléré de son amant dans son oreille, il ne la trouvait pas mal non plus. Il sentait bon : un mélange de feu de bois et de mer. Les doigts de Pol s'aventurèrent dans les bonnets de son bikini, découvrant du bout des doigts des seins juste parfaits pour lui ; il n'aimait pas les gros seins, ni les trop petits. Il aimait la chair veloutée que Sandrine lui offrait. Ses mains dénouèrent sa queue de cheval, laissant s'évader les cheveux noirs de la jeune fille. Encore un peu mouillés par la dernière baignade, ils la rafraîchirent. Ses mamelons se dressèrent. Sandrine se laissa tomber sur le lit, enlacée par les bras de son amant qui se pencha sur elle. Il lui enleva son caraco et laissa glisser sa langue sur son ventre. Excitée, elle serra ses jambes, mais Pol ne lui donna aucun répit et fit glisser sa main entre ses cuisses, engendrant chez sa compagne des petits sons de plus en plus perceptibles. Il adorait. Il l'adorait. Il revint l'embrasser et se laissa guider par sa volonté, par leur désir. Voulait-elle que ça se poursuive plus loin ? Elle le regarda profondément dans les yeux. Elle tombait amoureuse de lui, ça ne faisait aucun doute, et ça l'effrayait, mais elle savait que ces occasions ne se choisissaient pas. Il fallait les prendre quand elles passaient.

Son corps frétillait à chaque fois que les doigts de l'homme effleuraient sa peau. Elle aimait l'odeur de son souffle, sa présence sur son corps. Elle le déshabilla complètement et doucement alors qu'il tentait de lui ôter son haut de bikini, avec toutefois moins de grâce. Ses gestes étaient saccadés et maladroits. Sandrine sourit et l'aida en le retirant puis en ôtant son bas de bikini, s'abandonnant elle aussi, totalement nue, à son compagnon. Il s'arrêta pour la regarder en lui caressant le visage et en lui mordillant les lèvres, comme s'il désirait arrêter le temps. Le moment était si intense en émotion que Sandrine était couverte de frissons. Elle n'avait jamais connu homme qui ne s'était pas préoccupé avant tout de ce qui se passait entre ses jambes, en faisant valser son sexe en des mouvements rapides, brusques, préférant de loin les acrobaties, la performance et la jouissance pour assouvir rapidement son excitation et oublier l'amour sensuel et calme. À bien y penser, Sandrine ne croyait pas avoir déjà fait l'amour. Joué aux fesses oui, baisé oui, mais fait l'amour, elle ne savait pas. Pol prit le temps d'observer son corps, chaque pli et repli, ce qui l'intimida puisqu'elle savait bien à quel point elle était imparfaite avec ses rondeurs, mais elle se laissa prendre au jeu. Il caressait si bien. L'humidité collait leur peau, malgré l'air frais qui arrivait par la fenêtre ouverte. Elle avait hâte, si hâte qu'ils ne fassent qu'un. Pol se coucha sur elle, laissant son sexe dur près de sa cuisse. Elle le saisit par le dos et l'aida à pénétrer en elle. L'attente fut langoureuse et délicieuse. Le ciel, contestataire ou festif, selon la vision qu'on a des choses, grondait, annonciateur d'une tempête, parsemé d'éclairs qui se multipliaient à un rythme impressionnant. Mais pas encore de pluie. Sandrine et Pol bougeaient en parfaite harmonie et leurs fluides s'amalgamaient en abondance. Elle avait peine à croire ce qui lui arrivait.

— Reste avec moi, lui dit Pol en voyant qu'une fois encore ses pensées voltigeaient à droite à gauche.

— Je suis parfaitement bien ici, dit-elle en l'embrassant avec générosité, d'un souffle de plus en plus fort et rapide.

Chapitre 40

Elle était en sueur, mais comblée. Elle qui détestait la première fois parce qu'elle était toujours parsemée de maladresses et de malaises était ravie de ce qui lui arrivait maintenant. Bien sûr, ils avaient été un peu gauches, mais avec Pol, tout prenait une autre dimension et le drame s'évanouissait. Lovée dans ses bras, elle regardait les éclairs plus persistants que jamais alors que de nombreuses gouttes de pluie perçaient maintenant le ciel. Elles frappèrent le sol, délicatement au départ, puis avec de plus en plus de vigueur. Sandrine serait restée toute sa vie dans les bras de Pol, en silence, sans bouger, mais il faisait maintenant terriblement chaud et humide dans la pièce.

— Est-ce que ça te dirait d'aller voir la tempête sur le bord de la côte ? proposa Pol.
— Mais il est 2h15 et tu travailles demain matin !
— Je dormirai demain après-midi si je suis fatigué. Pour l'instant, c'est évident que je serai incapable de dormir.

Elle le regarda quelques secondes. Elle le trouva beau et remarqua un détail qu'elle n'avait pas perçu auparavant : il avait un léger strabisme. Était-ce seulement après l'amour ? Quand la fatigue le prenait ? Il voyait bien qu'elle venait de percer son secret, se retourna et croisa son regard en souriant. Elle l'embrassa.

— Ok. Allons-y.

Ils enfilèrent shorts et t-shirts, sortirent et montèrent dans la voiture pour rouler jusqu'à la Pointe de Taillefer. Malgré la pluie et le vent, la vue était claire et dégagée. Personne. Pas plus de bateaux que de gens. Ils arrêtèrent l'automobile et demeurèrent à l'intérieur pour entendre les gouttes de pluie frapper la carrosserie. Sandrine eut à nouveau le souvenir de ses voyages en camping-car quand, lors des jours d'averses, elle jouait à des jeux de société avec ses parents, bien à l'abri à l'intérieur.

Puis, après de longues minutes, ils sortirent, ne craignant pas d'être mouillés, au contraire, et allèrent se poster sur un rocher.

— On risque pas d'être frappés par un éclair ? demanda Sandrine, inquiète.
— Si...

C'était la seule réponse que Pol lui offrit. Sandrine resta un peu pantoise, mais accepta le risque, se convainquant encore une fois qu'elle devait faire un peu confiance au destin et profiter de la vie. Elle était de toute façon certaine qu'on provoquait nos malheurs à force de trop les craindre. C'est vrai... Selon elle, les gens les plus inquiets vivaient toutes sortes de mésaventures. Au contraire, il lui semblait qu'il n'arrivait presque jamais rien de bien vilain aux gens calmes et confiants. Question d'énergie, pensa-t-elle.

— Tu penses trop, lui rappela Pol.

Elle rit. Ça lui rappelait quelque chose.

— Tu es allé à l'école d'Armel, toi.

Il lui sourit et ils observèrent l'horizon. La pluie qui tombait était fascinante, harassante, violente, battant sans pitié le dos de la mer qui s'en plaignait en se fracassant à son tour sur les rochers.

— En 1702, dit Pol après plusieurs minutes de silence, Belle-Île a vécu la plus grosse tempête de son histoire. Il a tant plu que l'eau de mer qui valsait sur terre a tout renversé sur son passage, autant les maisons que les habitants de la côte. Un véritable raz-de-marée. C'était un paysage de fin du monde. Imagine, le sel faisait sortir de la terre les vers asphyxiant. On en voyait par milliers partout. Ça devait être assez impressionnant.

— Beurk, commenta simplement la jeune fille.

Elle était assise sur des siècles d'histoire et pourtant, cette nature lui semblait si pure, si dénudée, si vierge. On pouvait associer un paquet d'histoires à un bâtiment, à une rue, à une maison, mais on oublie souvent que le paysage vit encore davantage. Il bouge à peine, à moins que la nature le force avec fureur. Elle eut une pensée pour le tsunami de décembre 2004 où des centaines de milliers d'Asiatiques et de touristes avaient trouvé la mort. La nature se vengeait. Petite, elle n'avait pas connu de si grandes canicules. Elle leva la tête dans les airs, s'amusant à laisser ruisseler les gouttes de pluie sur son visage.

Chapitre 41

Armel pleurait. Bastian lui avait dit ce qu'il avait trouvé et elle était assise dans son salon et pleurait.

— Ils ont été tués, c'est certain. Mes chatons, mes deux chatons d'amour. Ils n'ont jamais sauté en bas de ma fenêtre en huit ans. Pourquoi ils l'auraient fait maintenant ? On les y a poussés, c'est certain...

Le petit, qui avait découvert les chats dans le buisson au bas de la fenêtre arrière d'Armel, était mal à l'aise, mais il demeurait assis à côté d'elle, espérant que Sandrine, qu'il avait fait avertir par la factrice, viendrait bien vite. Il ne savait pas comment conjuguer avec la peine d'une vieille dame. Après tout, une grand-mère, ça consolait, pas l'inverse. Lui pourtant si volubile se taisait maintenant. Colin, qui était entré sans qu'on l'ait entendu, prit la parole :

— On va trouver qui a fait ça.

Armel leva la tête, les yeux rougis.

— Mais on sait qui c'est ! On n'est pas idiots. Elle a décidé de me faire la vie dure et elle va y parvenir. Elle est coriace.
— C'est que vous me connaissez pas ! dit Colin, la colère dans la voix.

Bastian le regarda. De toute évidence, son aîné avait quelque chose en tête.

— Ils étaient tout bébé encore… continua Armel, démontée. À sept ans, on a encore toute sa vie devant soi.

Sandrine se présenta enfin et se précipita vers Armel en la serrant fort dans ses bras.

— Oh Armel ! Venez ici.

Armel semblait toute petite. Elle vivait les défaites coup sur coup ces derniers temps et tout ça, engendré par la même opportuniste qui s'entêtait à se débarrasser d'une originale qu'elle considérait nuisible pour ses affaires. Sandrine la revoyait, avec son petit air qui en disait long sur ses intentions. Mais était-elle vraiment capable de tuer des animaux, simplement pour avoir le champ libre ?

Colin disparut rapidement en claquant la porte. Armel leva la tête :

— Il ne faut pas qu'il fasse des bêtises. Il est impulsif ce petit.
— Occupez-vous de vous pour l'instant, dit Sandrine en la serrant encore.

Bastian prit congé d'elles en suivant Colin.

Chapitre 42

Bastian enfourcha son vélo et monta la côte pour rattraper l'adolescent, qui avançait à grands pas.

— Qu'est-ce que tu fais ?
— Je cherche le mec de qui les adultes ont parlé l'autre jour chez Pol quand on a tous mangé ensemble.
— Quand ?
— T'étais pas là. Il parlait d'un type avec sa femme et de leur fils pas mal excité. Il faut que je le trouve. Il habite dans une maison de Ramonette.
— Pourquoi ?
— Parce qu'il est propriétaire du magazine *Voyage et tourisme*, si tu comprends ce que je veux dire...
— Non, je comprends pas.
— C'est lui qui attribue les étoiles et qui a le loisir de démolir un hôtel s'il le veut...

Les yeux de Bastian s'illuminèrent.

— T'es génial !... Et tu crois qu'il va t'aider ?
— Sûrement, pourvu qu'ils ne soient pas partis.
— Tu comptes les trouver comment ?
— Marcher. Je vais marcher toute la journée s'il faut, mais je vais les trouver. Je vais faire toutes les plages, tous les restos de l'île.
— Heu... quand même, c'est petit Belle-Île, mais à ce point-là... Et tu sais pas comme ils s'appellent ? Tu crois pas plutôt qu'Armel saurait où ils logent ?

Colin s'arrêta net.

— C'est que t'es pas con, le nabot !

Les deux mômes rebroussèrent chemin. Colin trouverait bien une excuse pour justifier le fait qu'il ait besoin de rencontrer cet homme maintenant et vite. « On veut partir en Provence cet hiver et maman aimerait avoir des endroits pas chers pour loger », allait-il faire croire à la vieille dame. On ne sait pourquoi, ni comment, mais Armel goba. Était-elle vraiment dupe ou au fond d'elle-même ne souhaitait-elle pas aussi la vengeance ? Était-elle à ce point troublée qu'elle ne se demandait pas pourquoi Colin avait besoin de rencontrer André et Justine ? Quoi qu'il en soit, elle fournit l'information aux jeunes qui déguerpirent aussitôt.

Chapitre 43

La famille logeait dans une maison surplombant la plage. Colin y fut bien accueilli, tout comme sa demande qu'André trouva tout à fait justifiée :

— Tu as bien fait de faire appel à nous. Quelle mégère, cette Lucas ! Et vous êtes certains que c'est elle qui a fait le coup ?

— Même si ce n'était pas elle, elle fait chier Armel sans arrêt. C'est déjà assez, envoya Colin.

— T'as raison, on l'a bien vue, conclut Justine. Pauvre petite dame. Elle doit être renversée.

Colin acquiesça. Théophane tournoyait autour d'eux avec un camion en faisant vroum avec sa bouche. Colin sourit ; c'était presque un miracle. Et il était beau ce sourire !

— J'appelle demain le rédacteur en chef et je lui fais un compte-rendu de « cet hôtel insalubre à l'accueil exécrable et au menu infect depuis la venue de la nouvelle propriétaire », proposa André.

Colin sourit franchement et serra la main de son hôte. Il était fier de lui. Armel avait peut-être l'habitude de tendre l'autre joue, malgré son redoutable caractère, mais ce n'était pas son cas.

Le magazine allait paraître dans trois semaines, pour l'édition de septembre, et André promettait de relancer la critique l'été prochain si ça n'avait pas tué la Lucas dans l'œuf. Craignait-il les poursuites ? Pas du tout ! En émettant une critique, il avait droit à toute subjectivité. Et puis, il ne mentait pas puisque lorsqu'il était allé dans cet hôtel, l'immeuble était dans un état assez piteux et que la Lucas était elle-même au demeurant très pathétique. C'est vrai qu'il n'avait pas goûté sa nourriture, mais un petit mensonge n'était rien à côté de ce qu'elle avait déjà fait subir à Armel.

Chapitre 44

La vieille dame souriait, faisait son marché comme tous les jours, mais on sentait bien qu'elle n'avait pas le moral. Elle se plaignait de plus en plus de douleurs aux articulations, elle qui n'avait jamais bien mal avant... Et, ce n'était jamais bon signe, elle cogitait. Comme personne ne pouvait venir manger chez elle étant donné le bazar et qu'elle avait peine à y cuisiner quoi que ce soit, elle avait perdu un des sens les plus importants de sa vie. Pour se consoler, elle se faisait des soupes, mais à 40 degrés, elle les mangeait toute seule ! Aussi, bien sûr, il y avait ses chats. Partis, également. Heureusement, ses oiseaux étaient fidèles... tout comme ses nouveaux amis.

C'était dimanche et le marché était plein à craquer. Sandrine aidait Pol à vendre son fromage et elle y prenait plaisir. Il faisait beau, les gens étaient heureux, gentils. Ce rythme lui convenait. Avec Pol, elle lançait des blagues, rigolait. Ils avaient l'air de grands enfants.

Puis, elle fut soudain attirée par Armel, au loin, qui semblait importunée par quelqu'un. Dans la foule, elle ne pouvait apercevoir de qui il s'agissait, mais elle voyait bien que la vieille dame était troublée, tremblante même.

— Est-ce que je peux avoir deux minutes ? demanda-t-elle à son patron en déposant son tablier rempli d'argent sur le comptoir.
— Bien sûr, lui répondit Pol, intrigué, en tentant de voir où elle allait.

Mais les clients étaient trop nombreux et il ne pouvait se permettre aucun divertissement. Il servit une grande dame d'un certain âge, avec beaucoup de bijoux aux doigts et plein de peinture sur le visage. C'était pas une belliloise ça, c'est certain.

Sandrine traversa la foule pour rejoindre Armel à l'étal des poissons. Mais elle était petite et bientôt, elle ne la vit plus. Toutefois, elle reconnut à sa place l'homme qui avait tenté de l'approcher l'autre jour dans le portique de son immeuble. Il était planté là, fixant le sol, les cheveux épars. Il avait déjà l'air saoul à cette heure matinale. Sandrine l'interpella nerveusement, presque choquée :

— Mais qu'est-ce que vous lui voulez ? ! Allez vous-en ! Laissez-la tranquille !

L'homme leva la tête avec fébrilité, la regarda l'air perdu, transi de peur, mais pas méchant pour deux sous. Il semblait aussi envahi d'une tristesse innommable. Comment Sandrine pouvait-elle réagir ? Le persécuter encore plus ? Il était si candide qu'elle se sentit ridicule d'avoir fait usage de colère. Elle se retourna et vit que tout le monde la regardait. Elle avait dû parler très fort et se trouva soudain très mal à l'aise. Elle se retourna vers Pol qui, de loin, n'avait pas suivi la scène. Heureusement… Elle fouilla l'assistance du regard à la recherche de sa vieille amie et la vit trottinant en direction de chez elle, mais sa démarche n'était plus aussi assurée, presque sinueuse. Elle avançait avec plus de difficulté que d'habitude. La jeune femme pressa le pas pour la rejoindre et l'agrippa doucement. Armel se retourna.

— Armel, c'est qui lui ? Qu'est-ce qu'il vous veut ?

La nonagénaire demeura de glace.

— Il faut me le dire, sinon, je pourrai pas vous aider. S'il vous arrivait quelque chose de malheureux, on pourrait bien l'accuser.

— Mais que voudrais-tu qu'il m'arrive ? Qu'est-ce que c'est que cette idée ?

— Je sais pas, je disais ça comme ça, mais peu importe... Il vous trouble chaque fois que vous le voyez. Qu'est-ce qu'il vous a donc fait ?

— Il n'a rien demandé... dit-elle en continuant d'avancer à pas d'oie. Il n'y est pour rien.

— Mais vous le connaissez ? Ça peut pas être un simple sans-abri, sinon, pourquoi il s'acharnerait sur vous ?

Armel ne parla pas. Arrivée devant sa porte d'édifice, elle entra la clé dans la serrure et se retourna vers Sandrine, la lèvre frémissante, la gorgée serrée. Elle avait peine à ouvrir.

— Oh Armel... Je m'excuse... J'aurais peut-être pas dû vous forcer.

Sandrine la prit dans ses bras et après quelques secondes, Armel déclara :

— C'est mon fils, jeune fille. Mon fils...

Sandrine était sous le choc, mais n'osa pas réagir. Sa voix était rompue.

La vieille dame se mit à sangloter.

— Je l'ai abandonné, c'était trop lourd... Est-ce que tu comprends ?

— Chut… fit la jeune femme en lui caressant la tête. Chut… Venez, on va aller chez vous.

Elles montèrent et entrèrent dans l'appartement. La vieille dame avança dans le salon, elles s'y assirent et dès lors, ses paroles jaillirent en un flot continu :

— Je ne me pardonnerai jamais… Mais j'étais jeune… C'était cet Allemand que j'aimais tant. Il est parti, mais moi, j'étais enceinte… Il n'en savait rien. Quand la guerre s'est terminée, les villageois m'ont considérée comme une traîtresse parce que j'avais aimé l'ennemi. Ils m'ont rasé la tête et m'ont reniée… J'ai été la honte de toute ma famille. Puis, il y avait ce bébé que je voulais garder… et que mon père a fait disparaître… Mais dans une petite île comme celle-ci, difficile de cacher un nouveau-né. Les gens ont vite fait le lien. Il y en a encore qui ne m'ont pas pardonné… et à lui non plus. Les vieux surtout. Et il y a lui qui vient toujours me rappeler que j'ai raté ma vie, que je l'ai abandonné. Il a été le petit bâtard toute son existence… Un bâtard raté.
— Mais vous n'avez jamais pensé quitter l'île avec lui ?
— Oh tu sais… quand toute ta vie est quelque part, que veux-tu aller faire ailleurs ?
— Justement refaire votre vie.

Armel leva les yeux et transperça le regard de son interlocutrice.

— Ma belle, je n'ai aucune espèce d'idée de ce qu'il y de l'autre côté… et je n'ai pas l'intention d'y aller. Quand j'étais plus jeune, mon père m'a fait assez peur en me racontant les pires horreurs qui se passaient ailleurs juste pour que je reste avec lui, que je ne suis jamais sortie de l'île… et je ne le ferai jamais.

Elle prit une pause avant de terminer :

— Et puis, s'il arrivait quelque chose sur le bateau, je ne sais pas nager.

Sandrine était ébahie. Elle découvrait le côté vulnérable d'une femme qui semblait si forte. En réalité, dès qu'il s'agissait de son île, elle était la reine, mais en dehors, elle n'était pas grand-chose. La jeune femme vivait toute une gamme d'émotions : elle en voulait presque à Armel d'avoir abandonné cet enfant à lui-même, de le renier encore maintenant alors qu'elle pourrait rattraper le temps perdu, elle la méprisait même un peu d'avoir eu si peur de bouger et de s'être laissée paralyser par l'angoisse, de s'être laissée mener par un père autoritaire, par des voisins sans pitié. Il y avait pourtant plein de solutions. Belle-Île était donc devenue sa prison ?

— Mon Allemand m'avait promis de me faire découvrir le monde ; tout ce que j'ai découvert, c'est à quel point l'être humain est dur parfois…

Elle sourit en caressant la joue de Sandrine.

— Mais heureusement, il y a des gens comme toi, si merveilleux et j'ai la chance d'en être entourée fréquemment.

Sandrine lui rendit son sourire et eut soudain honte de ses jugements, des sentiments et pensées qu'elle venait d'éprouver. Mais n'étaient-ils pas normaux ?

— Est-ce que c'est vous qui l'avez élevé cet enfant ? osa-t-elle demander.

Le visage d'Armel redevint sombre, mais elle répondit, jouant la carte de la franchise pour la première fois de sa vie. Elle ressortait de vieux fantômes enfouis dans le placard et ça la soulageait considérablement. Elle vieillissait et il fallait que ça déboule une fois pour toutes. Son cœur vivait une pleine indigestion.

— Mon père m'avait demandé de m'en débarrasser. Tu sais, on retrouve peu de choses dans les remous de la mer ici...

Sandrine grimaça... Armel poursuivit en faisant aller ses mains l'une dans l'autre :

— J'avais une amie qui s'appelait Évangeline, un amour de générosité. Ses parents, des gens bons et doux, avaient décidé de prendre mon enfant et de l'élever comme s'il était le leur. Ils en ont beaucoup pris soin, mais mon père s'est vite aperçu que je n'avais pas noyé mon enfant et que celui-ci était son petit-fils, un sale fils de « boche » comme il disait. Il est venu le chercher pour le placer en crèche. Il n'était pas mieux lui non plus. Il n'a jamais pu lui donner la mort. Émile avait alors trois ans. La famille d'Évangeline a été dévastée parce qu'ils s'étaient tous attachés à lui, mais mon père ne voulait rien devoir à personne. Il était comme ça. Il préférait rendre tout le monde malheureux autour de lui, mais conserver sa fierté. C'était à lui de tout décider...

Elle posa sa tête contre le dossier du fauteuil à bascule.

— Ça été le début de la fin pour cet enfant qui a toujours été « Le bâtard du boche » et ma mort moi aussi. C'est là que je me suis attachée aux chats, aux oiseaux... Lui n'a jamais connu de vraie famille et c'est comme ça que j'ai passé le reste de ma vie à le fuir... Il me rappelait mon père, mon échec, mon Allemand... Il me rappelle encore tout ce que je suis : une lâche qui n'a pas su prendre les bonnes décisions et les assumer.

La voix d'Armel était nouée par l'émotion, les yeux de Sandrine baignaient dans l'eau. Elle aurait eu beaucoup de questions à poser, mais elle conserva le silence. L'important, c'était que la vieille dame dise ce qui lui faisait du bien. Sa propre curiosité n'avait pas d'importance.

Armel se leva pour ouvrir les fenêtres. Au diable les mouches et les moustiques ! Il faisait beaucoup trop chaud pour qu'elles restent enfermées. Elle appela ses oiseaux, Albatar, Chamine, Blocbust, Chemineau, Trottier, Zouzine, Manmio, Cybelle, Gertude et Charles, qui arrivèrent aussitôt. Ce n'était pas l'heure de la soupe, mais ils sentaient que leur maîtresse avait besoin de leur aide et c'était plus important que tout. Sandrine était toujours aussi impressionnée. Les goélands se perchèrent sur le rebord de la fenêtre et piaillèrent pour que la vieille dame les caresse. Ce qu'elle fit, sans se faire prier.

— Vous n'avez pas peur d'attraper des maladies ? lui demanda Sandrine, pour alléger l'atmosphère.
— Pourquoi ? ! répondit Armel, qui semblait réellement interloquée. Penses-tu que les Hommes qui posent leurs mains partout, autant dans leur bouche que sur leur popotin...

Sandrine rit.

— Ou qui couchent avec n'importe qui, n'importe où, c'est mieux ? Au moins, mes amis voguent sur les flots, sur l'eau saline... et comme tout le monde sait, le sel est un précieux désinfectant. Non, mes goélands à moi sont les plus propres du monde...

Quand elle était en leur compagnie, Armel sentait son pouls ralentir, sa pression descendre. Elle était bien, tout simplement. Elle frotta son nez sur le bec de Charles qui hurla de bonheur. Sandrine sursauta.

— Eh ben dites donc ! Il s'exprime, lui !

Armel rit à son tour. Edgar arriva trop tard et constata, déçu, que sur le rebord de la fenêtre de sa dame préférée, il n'y avait tout simplement plus de place. Ça lui apprendra à faire la cour au large !

— Oui, il s'exprime. Mais le plus épatant, c'est qu'il a toujours quelque chose d'intelligent à dire.
— Mais de quoi pouvez-vous donc parler ? dit Sandrine en se lançant dans le jeu.

Armel la regarda dans le blanc des yeux.

— J'ai tout appris avec eux. La sagesse, le respect de la nature et des autres, la prudence aussi… Beaucoup de ces oiseaux ne sont pas si sauvages qu'on le croit. Il y en a même qui font leurs nids au sol, ne craignant pas le pas de l'homme. Ils ont confiance en la vie… En cela, ils sont beaucoup plus sages que moi.

Elle étendit ses pieds sur la malle de bois et s'étira les bras derrière la tête.

— Une fois, Charles m'a expliqué sa façon de flotter, et ça m'a appris la vie. Il m'a dit : « Quand la mer est calme, je me laisse porter, tout simplement… Lâchez prise Armel, sur ce qui n'a pas d'importance et gardez votre énergie pour le reste. Admirez simplement, admirez et ayez confiance en la vie. Quand les flots et les remous nous perturbent un peu, je me tourne pour leur faire face, comme vous vous devez le faire pour affronter les épreuves en comptant sur votre confiance en vous pour trouver la force nécessaire. Enfin, quand c'est une vague déferlante qui menace de me renverser, je l'affronte, entre dedans, fort et vif. La vague passée, je me secoue. Il faut apprendre de ça que les épreuves sont surmontables si on y met tout son cœur. Une fois l'obstacle passé, il faut faire confiance à la vie et se débarrasser de ce qui nous a blessés, pour aller de l'avant.

Le bec du goéland se frottait à ses doigts. Des caresses, il en demandait encore et encore.

— C'est qu'ils sont sages ces petits. Et dire qu'on dit des gens pas intelligents qu'ils ont des cervelles d'oiseau... conclut-elle.

Sandrine adorait l'écouter, ça la calmait. Toutefois, dix heures sonnaient et il était grand temps pour les ouvriers de se mettre à l'œuvre. Aussi, leurs perceuses, leurs marteaux et leurs scies enterrèrent-ils de plus en plus les paroles des femmes. Les oiseaux se mirent à voltiger dans tous les sens, mécontents. Les deux femmes, elles, étaient forcées au silence. Avec Isabelle Lucas, Armel n'avait plus son mot à dire, dans tous les sens du terme.

Chapitre 45

— Et il est comment le vieux ? demanda Colin derrière le vélo de Bastian.

— Il est cool, tu vas voir. Il aime la liberté comme toi.

Ils passaient sous la porte Vauban quand six jeunes se plantèrent devant eux. Bastian freina sec. Pour la première fois, Colin lui sentit de la peur. Au premier plan, un grand efflanqué avec les oreilles décollées, les cheveux courts, mais gras menait le bal. Il devait avoir dans les seize ans.

— Alors minus, t'as enfin compris qu'il te fallait de la protection ? dit Lucien en parlant de Colin.

— Laisse-moi passer, on est pressés.

— Regardez-le les mecs, il est pressé, dit-il en se tournant fièrement vers sa bande. Pourtant, tu serais peut-être mieux à pieds que sur ta vieille bécane.

Il fila quelques coups sur la roue avant, qui ébranlèrent les deux occupants. Il n'en fallut pas plus pour provoquer Colin. Il en avait vu d'autres.

— Tu te sens fort parce que vous êtes six, mais tout seul, qu'est-ce que tu vaux, minus ? dit-il en appuyant sur le dernier mot.

Le visage de Lucien se transforma, ses narines grossirent.

— On a un petit malin ici, les amis. Un véritable petit malin.

— Pas la peine, Colin, laisse tomber, tenta Bastian.

— Colin ! Quel nom mignon… Colin ! Cot, cot, cot, fit-il en imitant une poule.

Ses amis éclatèrent de rire.

— Fils de pute ! dit Colin en débarquant du vélo.

— Non ! cria Bastian. Laisse tomber !

Ce qu'il ignorait et que Bastian savait, c'est que chaque membre de cette bande avait des nunchakus et qu'ils n'attendaient qu'un prétexte pour s'en servir. Ils en firent la démonstration devant un Colin saisi. Il était cuit.

— Allez, suis-moi, dit Bastian en laissant tomber sa bicyclette et en partant en courant.

Cette fois, Colin ne s'opposa pas et obéit. À leur trousse, six fous dévalèrent la rue. Bastian avait peur, mais il connaissait la ville plus que n'importe qui et savait par où passer. Il tourna sur une petite rue, puis sur une autre, et encore une autre, se retrouva dans le port, toujours suivi de Colin, qui était à bout de souffle. Il s'arrêta, posa ses mains sur ses genoux et tenta de reprendre haleine.

— Viens, dépêche-toi !

— Continue sans moi, dit Colin. J'en peux plus.

— Non, viens, on arrive.

— On arrive où ?

— Tu vas voir.

Colin reprit donc péniblement sa course alors que Bastian regardait continuellement derrière lui pour voir s'ils avaient semé le groupe. Négatif. Il les fit tous les deux disparaître dans un endroit encore inexploré du reste du monde, là où débutait un souterrain. Il sortit une lampe de sa poche de short et referma le soupirail derrière eux.

— Qu'est-ce qu'on fout ici ?
— Personne va nous trouver. Armel et moi, et peut-être quelques vieux pêcheurs, sommes les seuls au monde au courant de l'existence de ce souterrain-là qui fait partie des légendes de l'île.

Colin n'était pas très fier. Il avait beau avoir seize ans, avoir l'air anarchiste, revendicateur et robuste, il craignait le noir. Mais jamais il ne l'aurait avoué à Bastian. Il avança donc sur un sol en terre battue, inégal, qui sentait l'humidité avec pour toute lumière une ridicule lampe de poche. Il devait se pencher pour avancer et se concentrer pour combattre la claustrophobie. Il se tenait très proche de Bastian.

— Et où est-ce qu'on va comme ça ?
— Tu vas voir ! Tu vas être étonné…

Ils marchèrent quelques minutes et gravirent une légère côte qui donnait sur l'extérieur. Bastian le sentait bien grâce à l'air qui soufflait sur les pieds. Il poussa le soupirail au-dessus de lui. Du sable leur tomba sur le visage. Colin toussa et s'essuya les yeux. Ils débouchèrent dans une pièce exigüe, sombre et lugubre.

— Qu'est-ce que c'est que ça ?
— On est en plein cœur de la Citadelle de Vauban ! expliqua Bastian.
— Quoi ? !

Bastian sortit, referma le soupirail derrière son ami et y déposa du sable pour cacher l'entrée métallique.

— On est précisément dans un des cachots qui ont servi à emprisonner les empoisonneuses au XVIIe siècle.

— Les empoisonneuses ?

— Des genres de sorcières qui ont empoisonné des gens parce qu'elles étaient jalouses ou simplement par vengeance. Elles s'étaient formé un cercle, faisaient des réunions et décidaient de la façon dont elles allaient passer à l'acte et se débarrasser de leurs victimes.

Bastian avança dans le donjon. Colin le suivit et leva la tête. Le haut des murs était parsemé de trous. À quoi pouvaient-ils servir ?

L'idée de se trouver là où des femmes tueuses étaient mortes lui donna un frisson.

— Elles s'entraînaient à lancer des sorts et à imposer des supplices à des gens qu'elles aimaient pas. Un jour, on les a démasquées et emprisonnées ici jusqu'à ce qu'elles en meurent.

— Et on a le droit d'être ici ?

Bastian se rendit vers la porte et l'ouvrit. La lumière extérieure frappa Colin qui plissa les yeux. Des touristes se promenaient dans la cour de la citadelle et un couple s'avança même vers eux pour visiter le cachot dont ils sortaient.

— Tout le monde peut venir ici. C'est d'ailleurs l'endroit le plus visité de l'île. C'est juste que moi je sais comment le faire gratuitement… Viens.

Colin le suivit jusqu'à un second cachot, tout à côté. Sur le mur du fond étaient gravées trois croix.

— Qu'est-ce que c'est ?

— Ici, trois hommes ont été emprisonnés parce qu'ils tentaient de se rebeller contre les forces anglaises. Ils ont essayé de soulever une révolte, mais c'est évident qu'ils ont pas réussi. Les trois croix, c'est eux qui les ont gravées il y a 300 ans pour pas qu'on les oublie. Et ils sont morts ici.

Décidément, Colin n'appréciait pas.

— C'est pas que je m'amuse pas, mais est-ce qu'on peut partir ?

— Tant qu'à faire, on va visiter le reste, non ?

Colin accepta et ils firent le tour de la Citadelle de Vauban qui recelait de nombreux trésors. La vue sur Belle-Île y était imprenable.

Chapitre 46

Bastian connaissait bien Léon puisqu'il travaillait sur son bateau chaque fois qu'il amarrait à Palais. Cette fois, il y avait amené Colin afin qu'ils fassent connaissance. Mais ils n'avaient guère échangé de mots. Léon respectait le silence gêné ou révolté de l'adolescent. En contrepartie, s'il l'aidait à laver son bateau, il lui paierait un salaire, tout comme il le faisait à Bastian régulièrement. Les deux mômes frottèrent donc le pont avec vigueur, en silence, braves et constants.

— Ça chasse la grisaille du dedans, dit le vieil homme en démêlant ses filets.

Il porta ses yeux vers l'horizon et sentit le temps. Il faisait frais et gris ce matin, mais il était à parier que ça allait changer pour les touristes qui débarqueraient du Bangor. La sirène du traversier résonnait justement non loin d'eux et des centaines de gens s'excitaient à l'idée d'envahir les plages et de regagner la liberté si précieuse qu'ils perdaient, pour la plupart, dans un bureau clos l'année durant. Pour Léon, solitaire, les vacances étaient le temps idéal pour s'isoler en mer et cette saison, la pêche était bonne. Ce n'est pas qu'il n'aimait pas les gens, mais il se nourrissait de silence, de la présence du vent, de l'air salin et de l'odeur iodée et poissonneuse. En compagnie des autres, qui parlaient souvent beaucoup trop, il sentait qu'il perdait l'essence d'une vie qui filait sans lui. Occasionnellement, il prenait plaisir à rendre visite à des amis comme Armel, mais ça ne faisait qu'un temps. Il avait été élevé sur un bateau et mourrait sur un bateau. Ses deux filles et sa femme avaient fait d'autres choix. Difficile de vivre avec un marin et pourtant, Simone savait dans quoi elle s'embarquait dès le départ, mais jamais elle n'aurait cru que le charme d'un navigateur s'estomperait et qu'elle deviendrait jalouse... de poissons ! Léon les affectionnait plus que tout. Non seulement les mangeait-il presque tous les jours, mais il leur vouait un respect sans fin.

Bastian avait terminé sa tâche. Colin était essoufflé, mais sa partie était loin d'être achevée. Léon acquitta le plus jeune des deux qui prit congé tandis que Colin expira, assis sur le banc près de la cale. Il était épuisé.

— Allez bonhomme, dit Léon, qui voyait bien que son ralentissement n'était pas dû à de la mauvaise volonté, mais au manque d'habitude. Ça te tente un petit tour ?

Colin, avec sa brosse dans ses mains, esquissa un sourire en guise d'approbation.

— Aide-moi, on part ! On tire l'ancre. Tu vas faire le capitaine.
— Mais naviguer, je sais pas...
— Tu vas apprendre, dit le vieil homme en relevant l'ancre, aidé de l'adolescent.

Il démarra le moteur de son humble bateau de pêche.

— Range ton seau et ta brosse. On va aller prendre l'air.

Colin s'exécuta. Léon manœuvra pour qu'ils sortent de la marina. L'adolescent regarda les touristes s'affairer sur le port, valises en main, regagner voitures de touristes, taxis ou cafés. Et plus loin, l'horizon, la liberté. Il y avait la côte de Quiberon face à eux, mais Léon fit le tour de l'île et bien vite, les deux hommes se retrouvèrent devant le vide, le rien, l'immensité de l'Atlantique. Colin inspira, comme pris de vertige euphorique.

— Allez fiston, aide-moi.

Jamais Colin n'aurait cru que nettoyer un bateau était si physique. Il avait les bras morts. Il aida le vieil homme à ranger l'ancre et ils filèrent sur l'eau, en ligne droite. Le jeune homme voguait dans l'inconnu total.

— Tiens, prends, dit Léon en désignant la barre à roue à Colin qui fit une drôle de tête.
— Je saurai pas diriger.
— Arrête de dire que tu sauras pas et fonce. Tu verras bien. Je nous laisserai pas échouer quand même ! Quand tu veux aller à bâbord, tourne ta roue à gauche. À tribord, c'est à droite.
— Ouais, ouais, je sais, laissa nonchalamment tomber Colin. J'ai lu Tintin, moi aussi.
— Mais qu'est-ce que tu racontes ? demande le marin, éberlué.
— Le Capitaine Haddock disait à Tintin, pour l'aider à naviguer, que pour se souvenir des termes, il fallait découper le mot batterie – bat à gauche du mot et terie, à droite. Bâbord, tribord.

Le vieux le regarda éberlué, maugréa et poursuivit sa leçon.

— En tout cas, fais de ton mieux et suis ton instinct. Tu verras, ça vient vite.

Colin s'exécuta. À la barre, il se sentait magnifique, enfin digne. Il était un peu nerveux, mais il se tenait droit et avait l'impression soudaine qu'il conduisait sa propre vie. Il filait vers l'avenir à vive allure. Plus personne pour le narguer, plus de mode à laquelle il devait se conformer et contre laquelle se rebeller. Colin était beau garçon ; ses cheveux brun foncé lui descendaient un peu dans le cou et devant ses yeux presque noirs. Il était grand et mince, peut-être trop mince, mais il n'avait rien de repoussant et pourtant, il était loin d'être populaire et il en souffrait terriblement. Il entendait régulièrement les railleries des camarades de classe qui lui reprochaient son mal-être. Il savait que s'il avait été petit, il aurait été de ceux qu'on enferme dans les placards ou dont on met la tête dans la cuvette des toilettes avant de tirer la chasse d'eau. S'il avait été gros, ça aurait été pire encore. Il avait échappé à ce sort, mais il n'en demeurait pas moins victime de moqueries parce qu'il était différent, qu'il ne s'aimait pas. L'adolescent est comme l'animal ; il élimine celui qui est blessé en le piétinant jusqu'à plus soif. Colin avait la mort dans l'âme. S'il ne s'était pas encore ôté la vie, c'était sûrement grâce à sa mère qu'il aimait trop malgré tout, qui avait souffert de la séparation d'avec son père, qui se retrouverait seule face à tous ses échecs. Il ne pouvait tout simplement pas lui faire ça. Mais pouvait-il continuer à vivre ainsi ? À cette pensée, ses yeux s'emplirent de larmes qu'il ravala aussitôt. Il était plus habitué à cultiver la colère, la haine et le silence. C'était mieux. Ici, il se retrouvait face à lui-même il ne savait plus finalement s'il aimait tant l'idée de se supprimer. Il se serait volontiers trempé le nez dans la coke, simplement pour se sentir fort, puissant et pour oublier. Pourquoi était-il ainsi ? Il se sentait seul et victime de ce malheur qui, pensait-il, lui arrivait seulement à lui.

Heureusement, ici au moins, il était en sécurité. Il aimait bien Léon qui, contrairement à lui, était si bien dans sa peau. Ça le changeait…

Chapitre 47

— Tu vois là-bas, dit Léon en pointant à l'horizon, tu vois cette île ? C'est dans sa baie qu'on mangera ce midi. Tu aimes le poisson ?

Colin grimaça et répondit vivement de sa voix grave, en pleine mutation :

— Non !

Léon rit.

— Eh bien, c'est pareil parce que c'est tout ce qu'il y a à manger.

Colin soupira, exaspéré. Avec tous ses efforts de ce matin, il aurait pu avoir droit à quelque chose de consistant. Du poisson ! Du steak, du jambon, des frites, ça va, mais du poisson ! S'il avait pu, il se serait assis et aurait croisé ses bras en guise de manifestation, mais comme il dirigeait le bateau, il se sentait plutôt coincé.

Plus ils approchaient de l'île, plus les couleurs se modifiaient. Le bleu opaque devenait vert, puis bleu clair, tellement qu'on avait envie de s'y baigner, d'autant qu'en arrêtant le bateau, le vent cessa de souffler et le soleil darda ses rayons en leur direction ; il faisait chaud. Léon coupa le moteur. Colin tendit l'oreille. Rien. Pas un bruit. Peut-être les flots qui frappaient la baie et le bateau, mais sinon, le silence parfait. La paix. Léon se leva et souleva le dossier de la banquette sur laquelle il était auparavant assis pour sortir deux cannes à pêche et des hameçons.

— Je nous donne quinze minutes. Ils ont faim ici et dans la nature, ils ne sont pas craintifs.

À l'idée de voir un poisson frit le regarder dans son assiette, Colin grimaça à nouveau. Léon, qui le remarqua, n'en fit rien voir et lui mit une canne à pêche entre les mains. Placé devant le fait accompli, Colin n'avait pas le choix.

— Regarde-moi faire et tu feras la même chose pour préparer ta ligne.

Colin observa l'ancien et tenta de reproduire ses gestes en y parvenant plutôt bien. Il n'avait jamais pêché avant. Qui l'y aurait amené ? Et c'est pas à Dijon qu'il y avait beaucoup de poissons. Ils lancèrent tous les deux la ligne à l'eau, s'installèrent à leur aise et attendirent en respirant l'air du large. Colin était apaisé. Toutefois habitué à être excité par les jeux vidéo, la violence, la télé, il se sentait perdu et angoissé. Il avait peur aussi un peu, mais il n'était pas si seul puisqu'ils étaient deux. Le silence s'installa un bon moment.

Chapitre 48

— Ce que j'aime des poissons, c'est qu'ils ne parlent pas, dit Léon.

— Surtout pas dans une assiette, surenchérit Colin.

Léon se retourna vers lui, étonné d'entendre une réplique provenant de sa bouche et rigola un bon coup. Ils reprirent leur silence.

Douze minutes plus tard, ils avaient tous les deux leur prise. Sur la ligne de Colin s'agitait un beau rouget. Énervé, debout, l'adolescent tenait sa ligne à deux mains. On pouvait sentir sa fierté, sa maladresse aussi, mais il était content. Ça ne faisait aucun doute, c'était le plus gros poisson des deux. Léon déposa sa ligne pour s'occuper de Colin. Son repas s'agitait au bout.

— Oh là, la belle pièce ! fit-il en présentant un filet pour attraper la bête qui se tortillait pour sauver sa vie.

Léon décrocha l'hameçon qui s'était planté dans l'œil du poisson, puis l'assomma. Le poisson rendit l'âme. Colin était comme un gamin. C'était son poisson à lui ! Il adressa un large sourire à Léon, qui lui donna une tape franche sur l'épaule, marquant sa fierté. Ils montèrent une table de plastique sur le pont et s'y installèrent pour éviscérer le poisson. Contre toute attente, Colin ne s'opposa pas à cette opération qui lui apparaissait pourtant dégoûtante quelques minutes plus tôt. Au contraire. Ça le ramenait aux sources, à l'essentiel. Il pêchait pour se nourrir. La base…

Pendant qu'il terminait le travail, Léon prépara la poêle et le beurre. Ils allaient se faire un succulent dîner et Colin était convaincu qu'il ne mangerait pas. Il avait toujours détesté le poisson. Pourtant, devant son assiette, devant sa prise, il goûta et apprécia.

— C'est pas si mal… C'est même plutôt bon.

Léon sourit en lui servant un verre de blanc.

— Heu…
— Allez, on le dira pas à ta mère, lui envoya le pêcheur en levant son verre pour trinquer. Tu sais ce qui est le mieux dans ce poisson ? C'est que ça vient de toi. C'est unique, c'est frais. Ça ne t'es pas imposé. En plus, c'est doré dans le beurre. C'est ça le secret.

Colin acquiesça en continuant de manger. Il n'en revenait tout simplement pas : il aimait le poisson ! C'est vrai qu'il n'y avait absolument rien d'autre à manger sur le bateau, rien du tout et il avait une de ces faims ! S'il avait pu avaler les arrêtes, il l'aurait fait.

— Moi, je les garde les arrêtes, les têtes aussi et je te fais une soupe de poisson comme tu n'en as jamais mangée avant, c'est certain.
— Ah, ça c'est certain, fit l'adolescent qui avait toujours refusé même l'idée de goûter à de la soupe de poisson.
— Je ne crois pas en Dieu, dit l'homme en croquant un bout de baguette. En fait, pour moi Dieu, c'est ce poisson et avant de le manger, je le remercie pour le corps qu'il

m'offre. C'est la raison pour laquelle je ne jette rien de ce qui lui appartient...

Colin l'écoutait avec grande attention, buvant ses paroles comme s'il était assoiffé de vérité et de sagesse.

— Et j'aime le poisson parce que bien qu'on le dise bête, et c'est vrai qu'il l'est un peu, il est agile, il se bat pour sa vie jusqu'au dernier souffle et n'abandonne jamais. Quand on le croit mort, il est encore vivant...

Colin s'arrêta de mastiquer quelques secondes pour réfléchir. Puis il reprit et ils mangèrent comme ça, juste bien, sans se remplir comme on a l'habitude de le faire à la maison ou au restaurant. Toujours trop. Non, ici, c'était juste ce qu'il fallait. Autour d'eux volaient des mouettes et des goélands qui auraient bien aimé avoir les restes. Qui sait ? Peut-être Léon aurait-il cette fois un accès de générosité ? Non, ils allaient être bien déçus.

Chapitre 49

Sur la pente escarpée, Pol était assis sur un des rochers et admirait les oiseaux tourbillonner dans le ciel en passant devant le soleil couchant. C'est justement ce que Sandrine tentait de croquer avec son appareil photo. Lui, regardait tout simplement l'air du temps.

— Tu manques un beau moment, dit-il en respirant profondément.

— Tu crois ? dit la photographe en herbe qui prenait un malin plaisir à immortaliser l'instant présent.

— Il est ici ton actuel… et tu le vois juste à travers un objectif… C'est quand même un peu triste, non ?

— Oh non, si tu savais…

Elle monta sur un autre rocher, non loin de lui, pour être certaine d'avoir une prise de vue différente.

— Et puis, continua-t-elle, quand je voudrai revivre ce moment, j'aurai qu'à consulter les photos.

— Avec la mémoire, c'est plus rapide, plus pratique et ça coûte rien.

— Mais la mémoire est une faculté qui oublie… et on peut la partager avec personne d'autre, dit-elle en souriant.

— Parce qu'il y a quelqu'un à qui tu voudras montrer tout ça ?

— Bien sûr ! répondit Sandrine avec conviction, j'ai une mère et des tas d'amis.

— Tu les inviteras à venir, ce sera mieux.

— Parce que tu crois que je vais m'établir ici ? laissa tomber Sandrine en le regardant.

Il se retourna vers elle :

— J'en suis convaincu. Qui vient à Belle-Île y revient… ou y reste.

Elle sourit à nouveau. Pol était toujours chaviré par cet irrésistible sourire. Elle reporta son attention dans la lentille de son Canon. Lui, continua de la dévorer du regard, de porter à son esprit les moindres détails de son visage, de son corps. Ses cheveux noirs étaient amassés en deux couettes hautes sur la tête, la faisant ressembler à une gamine. Son caraco moulait sa poitrine et son short enrobait des jambes plutôt fortes, mais tout de même gracieuses. À travers les yeux de Pol, tout de cette femme était gracieux. Et pourtant, Sandrine avait le corps d'une sportive. Et plus que tout, émanait d'elle un profond bien-être, une grande énergie. Elle était pétillante et spontanée, généreuse et solide.

— Et tu sais, poursuivit Sandrine, s'il n'y avait pas de gens pour prendre des photos, ta maison serait vide et tu ne serais pas archiviste.

Pol lui fit un clin d'œil et reporta ses yeux vers le soleil qui descendait rapidement. Il allait bientôt faire nuit, mais le vent était aussi doux qu'en plein jour. La nuit allait être très chaude… même s'ils n'en avaient pas trop besoin…

Chapitre 50

Ce matin-là, Armel fut sûrement la première à être réveillée et pas à cause du bruit, tout au contraire. Il y avait un léger vent qui soufflait dehors. Elle n'entendait pas les goélands, ni les mouettes à sa fenêtre, mais un murmure lointain de gens qui s'affairaient au port. Ce n'étaient pas les marins, elle les reconnaissait bien. C'était autre chose. À 6h23, ce n'étaient sûrement pas les touristes qui entraient au port, il n'y avait pas encore de traversiers. Elle se leva, revêtit sa robe de nuit et s'avança vers sa fenêtre pour pousser les persiennes, mais en les ouvrant, elle entendit un paf!, un battement d'ailes, puis un boum. En réalisant ce qu'elle venait de faire, elle hurla et se recula comme si elle venait de se brûler. En s'avança à nouveau et regarda en bas.

— Oh non ! Oh non, pas lui ! Pas mon Charles ! Pas mon Charles !!

En ouvrant la fenêtre, Armel avait assommé Charles, qui était tombé raide mort du troisième. Elle se recula à nouveau, tremblante. Elle sentait ses jambes vaciller, son cœur cogner. Elle avait tué son ami. Mais que lui avait-il pris de se précipiter comme ça sur les persiennes alors qu'il avait son rituel bien précis chaque matin, picorant dans la fenêtre en lançant des petits cris pour que son humaine préférée vienne lui répondre ? ! Ce matin, il avait foncé sans prévenir.

La vieille dame serra le cordon de sa robe de chambre, sortit précipitamment de son appartement et descendit rapidement les marches de son immeuble. En ouvrant la porte, elle vit une rue presque vide… et Charles qui gisait par terre, avec du sang sur la tête, les yeux ouverts, le bec fendu et les pattes noires. Armel était effondrée. Une main sur la bouche, elle se retenait pour ne pas crier. Elle revint sur un détail : des pattes palmées noires.

La voiture de Pol arriva prestement derrière elle. Sandrine en sortit précipitée. Pol la suivit. Armel se retourna.

— C'est pas vrai… Pas encore !

Pol fit si de la tête.

— Sur la plage de Donnant.

Armel s'écrasa sur le palier de la porte. Elle avait la mort dans l'âme, mais elle ne pouvait plus pleurer. Elle l'avait trop fait dans sa vie et maintenant, elle était à bout de larmes. Elle se releva, aidée de Pol et Sandrine.

— Il faut l'enlever de là, dit la vieille dame en faisant allusion à Charles.
— On s'en occupera plus tard. Venez. Ils ont besoin de vous.
— Non, tout de suite.

Pol prit délicatement l'oiseau qu'il alla déposer dans le coffre de sa voiture et Sandrine aida la vieille dame à monter sur la banquette avant.

Aucune autre parole ne s'échangea.

Chapitre 51

On assistait à une scène de fin du monde. Le sable était caché sous une épaisse couche noire. Une fois de plus, un paquebot de la mort avait vidé son monstrueux ventre de pétrole sur les somptueuses plages de Belle-Île-en-Mer, engloutissant tout sur son passage. Les oiseaux tentaient de sortir de cette colle visqueuse qui s'accrochait à leurs pattes, à leur bec, à leurs plumes. Des poissons flottaient à la surface alors qu'en profondeur, la faune et la flore suffoquaient, puis rendaient l'âme. Armel en voulait profondément à l'être humain, à son argent, à ses valeurs complètement tordues, à son capitalisme retord, à son « je-m'en-foutisme » généralisé. Et pourtant, de partout accouraient les secours pour sauver ce qui restait d'encore vivant après cette catastrophe qui avait dû se produire pendant la nuit. Déjà, des équipes d'écologistes et de bénévoles se déployaient pour sauver les oiseaux, assainir les lieux.

Oui, un paysage de fin du monde. Les jambes d'Armel arriveraient-elles à la supporter ? Sandrine sortit et lui ouvrit la portière pour l'aider à se lever. La vieille dame de l'île avançait sur la plage pour découvrir ici Gustave, déjà parti aux cieux ou là, Martial, qui tentait d'avancer, les yeux bouchés par la vase noire. Elle se pencha et tenta de le rassurer :

— Martial, tiens bon mon gaillard, ils viendront te sauver. N'aies pas peur.

L'oiseau essaya d'ouvrir la bouche, mais n'y parvint pas. En guise de réponse, il roucoula doucement, veillant à respirer du mieux qu'il le pouvait. À côté de lui gisait une autre mouette dont elle n'arrivait pas à reconnaître l'identité tant elle était profondément engloutie dans le pétrole.

Marthe, Mariline et Colin étaient déjà sur la plage à aider les premiers secours. Ils portaient des gants de plastique et on leur avait prêté de longues bottes qui couvraient une bonne partie de leurs jambes. Ils s'avancèrent vers la vieille dame.

— Nous sommes sincèrement désolés. C'est écœurant… déclara Marthe.

Armel la regarda, l'air complètement perdu.

— Qu'ont-ils encore fait à ma Belle-Île ?

Seul le silence pouvait répondre à cette interrogation.

La vieille dame continua à cheminer sur la plage, ou à tout le moins sur ce qui en restait. Au bout, elle crut reconnaître le petit Théophane qui courait vers elle, tentant de ne pas perdre pied pour ne pas se retrouver le nez dans ce qui n'était plus qu'un amas de salissure et de mort consommée. C'est ce dans quoi les enfants d'aujourd'hui devaient vivre ; c'est ce qu'on avait fait de leur nature, pensa Armel. Gai comme toujours, ne semblant pas voir le péril noir, il se précipita sur ses jambes et lui fit un gros câlin. Le cœur de la vieille dame se gonfla. Elle lui caressa la tête et cette spontanéité lui fit du bien. On détruisait sa terre et l'enfant demeurait naïf, ne trouvant qu'une chose à faire : s'amuser. Les coquillages avec lesquels il jouait étaient noirs et collants, mais il s'amusait quand même. Il aimait aussi tous ces gens qui s'activaient en solidarité pour sauver une des plus belles plages de l'île. Mais ce qu'il ne savait pas, c'est que ça prendrait des mois à nettoyer, que la saison touristique était compromise, que certains marchands allaient peut-être déclarer faillite, que l'île allait encore faire les frais de cet accident dont les industriels responsables se foutraient probablement aussi profondément que le fond de l'océan. Le procès, s'il y en avait un, allait être long, coûteux et laborieux. Et peut-être sans dénouement heureux.

— Mon bonhomme... fit Armel en continuant de lui caresser la tête, le trémolo dans la voix, si tu savais... si seulement tu savais. Reste donc petit, va.

André et Justine arrivèrent peu après. Mais ils n'avaient rien d'autre à dire que « Bonjour », politesse à laquelle la vieille dame répondit sans vraiment trop penser, comme par automatisme. Elle n'avait ni envie d'échanger, ni l'âme à faire des finesses. Elle n'avait que tristesse au cœur. Et le plus étrange, c'est que malgré les centaines de personnes qui s'activaient sur ce petit bout de mer, le silence était total, comme si on faisait la sépulture de quelque chose de précieux, qu'on disait au revoir à un inestimable don de vie.

Léon était en mer. Il avait tout vu. Bastian arriva à vélo et fonça vers Armel.

— Les nids sont intacts, Madame Armel ! Les nids sur les rochers ont été épargnés.

La vieille dame le regarda avec tendresse.

— Ce pourrait être une bonne nouvelle, si seulement les mamans et les papas qui prennent soin de ces nids étaient toujours en vie…

— Mais il faut espérer ! ajouta le garçonnet toujours aussi enthousiaste.

Armel ne lui sourit même pas. C'est comme si elle ne savait plus comment faire. Devant elle, il y avait ses amis qui s'inquiétaient et qui attendaient qu'elle parle, qu'elle leur dise quoi faire, qu'elle constate. En vain. Armel parcourut une ultime fois sa plage adorée du regard, puis l'horizon, pendant des minutes qui semblèrent d'une absolue longueur, et déclara :

— Mes chers amis, c'en est fini pour moi. Mon chemin s'arrête ici. Il est temps que je parte.

Pol, Sandrine, Marthe et les autres étaient interloqués, craignant de comprendre ce qu'elle disait. Sandrine intervint :

— Vos oiseaux, ceux qui restent à sauver, ont besoin de vous !

— Regardez-vous tous, dévoués, attentifs. Ils sont en de bonnes mains. Non, il est temps que je parte. L'être humain m'a fait assez de mal…

Chapitre 52

Cet après-midi-là, on la conduisit au phare de la Pointe des Poulains et on lui servit ce qu'elle avait demandé : du chouchen. Elle s'assit tout en face de la mer, au bout d'un rocher, et toujours selon son désir, on l'y laissa seule.

Chapitre 53

On ne revit jamais plus la vieille dame de l'île, mais elle avait laissé en chacun d'eux des traces indélébiles de son passage : Colin travaillait maintenant avec Léon et avait enfin trouvé sa place à bord de cette vie, Sandrine et Pol vivaient ensemble, le petit Théo n'allait jamais oublier cette femme qui, par la seule présence de ses mains, savait le calmer. Chaque fois qu'il y pensait, il prenait des respirations profondes et arrivait à trouver le souffle qui lui manquait pour ralentir sa tête et son corps. De plus, il avait hérité de ses poissons dont il prit grand soin. Il se sentait bien fier. Isabelle Lucas ferma boutique, faute de revenus. Si peu de gens se présentèrent à son hôtel, on arrive mal à s'expliquer pourquoi… Mariline, Marthe, André et Justine rachetèrent établissement désormais si particulier et y habitèrent à tour de rôle pendant les vacances qui suivirent.

Tous firent graver une plaque au sol au nom d'Armel Legruec, là où elle avait une parcelle de terre non constructible, pour que jamais son souvenir ne s'efface. Un homme à l'allure débraillée et triste, alla s'y recueillir chaque jour jusqu'à sa mort.

Et enfin, Pol écrivit l'histoire de cette femme qui demeura dans les anales de Belle-Île-en-Mer. Un souvenir qui ne s'efface pas, une générosité qui change les vies, c'était ça, la vieille dame de l'île.